LA COCINA DE **LAS REDONDITAS**

LOS LIBROS ⚙ DE UTILÍSIMA

LA COCINA DE
LAS REDONDITAS

Silvia Barredo y Graciela Bordín

EDITORIAL ATLANTIDA

BUENOS AIRES • MEXICO

Editora jefa
Isabel Toyos
Producción general
Aurora Giribaldi
División libros Utilísima
Marina Calvo
Supervisión
Alicia Rovegno
Textos redonditos
Giselle Tolcachier
Supervisión de arte
Claudia Bertucelli
Diseño de tapa
Patricia Lamberti
Diseño de interior
Natalia Marano
Producción fotográfica
Graciela Boldarin
Fotos
Isidoro Rubini
Producción industrial
Fernando Diz
Composición
Hugo Pérez
Preimpresión
Digigraf

Agradecemos a:
Básicos, en Paseo Alcorta Shopping Center, Avda. Figueroa Alcorta y Salguero;
L'Interdit, Arenales 1412; y *Titisee*, Maure 1615.

Quiero expresar mi gratitud
A quienes me ayudaron para poder hacer este libro en un momento en que
múltiples obligaciones profesionales me daban grandes satisfacciones... y a la
vez me exigían grandes esfuerzos:
     a mi esposo Gerardo por su actitud amorosa y protectora permanente
     a mis hijos Silvina, Alejandro (que me demostraron su amor pasando
     a la computadora, durante muchas horas, mis recetas manuscritas) y
     Sebastián
     a mis padres, que con respeto y comprensión disculparon mis
     ausencias forzosas
     a todos mis afectos, que están presentes en las recetas del capítulo
     "La fuerza del cariño"
A Ernesto Sandler, que descubrió en mí un perfil que yo ni siquiera
sospechaba para formar este increíble dúo de Las redonditas
A toda la familia Utilísima, por su eficiencia y calidez
A Dios, por esta alegría de llegar a cada uno de ustedes.

Silvia Barredo

Dedico este libro
A Luis, compañero de la vida, mi esposo y mi amor.
A Matías, Sergio y Claudio, mis hijos, la extensión de mi corazón.
A mis padres y hermanos, la raíz de mis sentimientos.

Agradezco
A Ernesto Sandler, por esta maravillosa oportunidad.
A mis amigos y compañeros de Utilísima Satelital, por compartir esta etapa
especial.
A Dios y a mi Madre del cielo, María Auxiliadora, por las bendiciones que
día a día recibo.

Graciela Bordín

Mujeres al borde
de un ataque
de nervios

IDEAS PARA SALIR DE APUROS

BUÑUELOS DE QUESO

INGREDIENTES

2 huevos

500 gramos de harina

750 cc de leche

sal

pimienta

hierbas aromáticas (opcional)

250 gramos de queso fresco

aceite para freír

▸ Batir los huevos en un bol.
▸ Agregar poco a poco la harina y la leche.
▸ Mezclar hasta obtener una pasta lisa y espesa.
▸ Condimentar a gusto con sal y pimienta. Si se desea, perfumar con hierbas.
▸ Pisar el queso y agregarlo a la pasta.
▸ Calentar abundante aceite en una sartén.
▸ Tomar cucharadas de la preparación y freírlas hasta que se doren de ambos lados.
▸ Retirar con espumadera y escurrir sobre papel absorbente.
▸ Servir enseguida, con la ensalada que se prefiera.

Cámbieles la cara a los platos dentro de sus posibilidades. Las ensaladas también tienen que lucir atractivas.

CAKE DE BRÓCOLI

INGREDIENTES

600 gramos de brócoli
375 gramos de manteca
8 huevos
380 gramos de harina leudante
80 gramos de azúcar
sal
1 cucharadita de cúrcuma

▸ Separar el brócoli en ramilletes parejos y grandes.

▸ Para blanquearlos, sumergirlos en agua hirviente salada y esperar que el agua vuelva a hervir. Retirarlos y pasarlos por agua helada para cortar la cocción.

▸ Trabajar la manteca hasta ablandarla y agregarle los huevos, uno a uno.

▸ Combinar la harina con el azúcar, la sal y la cúrcuma.

▸ Integrar los ingredientes secos a la mezcla de huevos y manteca.

▸ Enmantecar abundantemente un molde alargado de 25 por 8 cm.

▸ Colocar dentro 2/3 de la preparación.

▸ Ubicar en el centro los ramos de brócoli en posición vertical, con la flor hacia arriba y bien juntos uno al lado del otro.

▸ Cubrir con el resto de la masa.

▸ Hornear durante 45 minutos a 180ºC.

▸ Desmoldar caliente y servir tibio, como parte de una picada.

El cuerpo es una bendición y un milagro.

COSTILLITAS DE CERDO CON OREJONES

INGREDIENTES

8 costillitas de cerdo

sal

pimienta

2 cucharadas de manteca

romero

3 cucharadas de azúcar rubia o miel

12 orejones

1 vaso de cerveza

▶ Calentar muy bien una plancha bifera. Colocar las costillitas y sellarlas de ambos lados.

▶ Cuando tomen buen color, retirarlas y salpimentarlas.

▶ Aparte, derretir la manteca en una sartén amplia.

▶ Añadir el romero y el azúcar o miel.

▶ Incorporar los orejones y verter la cerveza.

▶ Agregar las costillitas y cocinar durante 10 minutos.

▶ Retirar y corregir la sazón si es necesario.

▶ Servir enseguida, con puré de batatas, calabaza o manzanas.

Si va a comer afuera, salga de casa con su propio menú en mente. Así no tendrá que exponerse a leer las tentaciones de la carta.

CROQUETAS DE ARROZ

INGREDIENTES

200 gramos de arroz de grano largo

2 huevos

1 ramillete de perejil

100 gramos de queso parmesano

1 cucharada de crema de leche

sal

pimienta

nuez moscada

200 gramos de harina

aceite de girasol para freír

▶ Cocinar el arroz en una cacerola con abundante agua hirviente salada. Cuando esté al dente, escurrirlo y reservarlo.

▶ Batir ligeramente los huevos para romper la liga. Incorporar el arroz, el perejil picado, el parmesano rallado y la crema. Condimentar con sal, pimienta y nuez moscada. Unir bien.

▶ Tomar porciones de la mezcla, formar croquetas esféricas y hacerlas rodar sobre la harina.

▶ Calentar abundante aceite en una cacerola o sartén honda y freír las croquetas hasta que se doren en toda su superficie. Retirarlas con espumadera y escurrirlas sobre papel absorbente.

▶ Servir con ensalada verde.

▶ Esta receta es ideal para aprovechar un sobrante de arroz cocido (por ejemplo, de un *rissoto*).

EMPANADAS REDONDITAS

INGREDIENTES

250 gramos de cebollas blancas

100 gramos de cebollas de verdeo

250 gramos de pechuga de pollo

100 gramos de margarina

1 cucharadita de orégano

sal

pimienta

24 tapas de masa para empanadas

2 huevos duros

1 huevo batido

semillas de sésamo

▶ Picar las dos clases de cebollas. Cortar el pollo en trozos pequeños y blanquearlo.

▶ En una sartén grande calentar la margarina y dejar que espume. Rehogar las cebollas. Agregar el pollo, saltearlo brevemente y retirar del fuego. Condimentar con orégano, sal y pimienta. Dejar enfriar.

▶ Separar las tapas de masa. En el centro de cada una colocar 1 cucharada generosa del relleno de pollo. Esparcir arriba un poco de huevo duro picado.

▶ Humedecer los bordes con agua, colocar encima otro disco de masa y hacer un repulgo.

▶ Apoyar las empanadas sobre una placa. Pintar con huevo batido y espolvorear con semillas de sésamo.

▶ Llevar a horno de temperatura moderada durante 20 minutos aproximadamente.

ESCABECHE DE CHAMPIÑONES

INGREDIENTES

2 kilos de cebollas

2 kilos de zanahorias

2 tazas de aceite

laurel

pimienta negra en grano

2 tazas de vinagre de alcohol

1 kilo de champiñones medianos y parejos

▶ Pelar las cebollas y cortarlas en rodajas de 2 mm de espesor.
▶ Hacer lo mismo con las zanahorias.
▶ Calentar el aceite en una cacerola. Rehogar las cebollas.
▶ Incorporar las zanahorias, el laurel y la pimienta.
▶ Verter el vinagre y dejar evaporar durante 10 minutos.
▶ Incorporar los champiñones (para dar un toque diferente se pueden agregar también tiras de blanco de puerro) y cocinar durante 10 minutos más.
▶ Servir frío o caliente.
▶ Si no se consume en el momento, envasar en frascos o recipientes con tapa y conservar en la heladera.

Un caldo desgrasado caliente antes de la comida ayuda a disminuir el apetito.

FRITURAS DE CALABAZA

INGREDIENTES

1 calabaza de 750 gramos

150 gramos de harina

1 huevo

1 cucharadita de sal

150 cc de cerveza

2 claras

aceite para freír

▶ Pelar la calabaza y cortarla en rodajas de 5 mm de espesor.

▶ En un bol mezclar la harina con el huevo y la sal.

▶ Añadir poco a poco la cerveza.

▶ Dejar reposar la masa durante 1 hora.

▶ Batir las claras a nieve e incorporarlas delicadamente a la pasta.

▶ Pasar las rodajas de calabaza por la pasta, controlando que queden bien cubiertas.

▶ Freírlas de a pocas por vez en abundante aceite caliente.

▶ Cuando estén doradas, escurrirlas sobre papel absorbente. Saborearlas de inmediato.

▶ Con la misma pasta se pueden preparar frituras de otros vegetales (ramitos de brócoli o coliflor, rodajas gruesas de tomates, láminas de batatas) e incluso de langostinos (sin cabeza y pelados casi hasta la cola) y trozos de lomo de atún o pez ángel.

La calabaza tiene gran poder de saciedad, fibra, carotenos y pocas calorías. Resulta aconsejable para dietas de mantenimiento.

GALLETAS DE PAPAS Y FINAS HIERBAS

INGREDIENTES

600 gramos de papas
ciboulette
perejil
100 gramos de harina
3 huevos
100 cc de crema de leche
sal
pimienta
2 cucharadas de aceite
tomates
jamón cocido
queso gouda o mantecoso

▸ Pelar, lavar y trozar las papas.

▸ Ubicarlas en una cacerola, cubrirlas con agua y cocinarlas durante 20 minutos.

▸ Escurrirlas y ponerlas en la procesadora junto con las hierbas, la harina, los huevos, la crema, sal y pimienta. Procesar hasta obtener una masa lisa.

▸ Aceitar ligeramente una sartén pequeña antiadherente. Llevar al fuego.

▸ Colocar en la sartén caliente una porción de masa, aplastarla con la parte posterior de una espátula y cocinar de 2 a 3 minutos de cada lado. Retirar la galleta con ayuda de la espátula.

▸ Repetir el paso anterior con el resto de la masa.

▸ Presentar las galletas como guarnición de carnes o como parte de una picada.

GRATÍN DE CENTOLLA IMITACIÓN

INGREDIENTES

200 cc de leche

1 cucharada de ron

perejil

tomillo

ciboulette

1/2 baguette

3 cebollas

1 diente de ajo

aceite o manteca para rehogar

16 bastones de centolla imitación

sal

pimienta

ralladura de limón

▶ En un plato hondo mezclar la leche con el ron y las hierbas picadas.

▶ Cortar la *baguette* en rebanadas y remojarlas en la leche aromatizada.

▶ Picar las cebollas y el ajo. Rehogarlos en una sartén con un poco de aceite o manteca durante 5 minutos.

▶ Incorporar las rebanadas de pan escurridas y desmenuzadas.

▶ Cortar la centolla imitación en rodajas y agregarlas. Retirar y salpimentar.

▶ Repartir la preparación en cazuelas individuales.

▶ Gratinar en el horno durante 4 minutos.

▶ Retirar y espolvorear con ralladura de limón.

▶ Decorar con *ciboulette* y servir enseguida.

GRATÍN DE ESPINACA Y CHAMPIÑONES

INGREDIENTES

1 kilo de espinaca

100 gramos de manteca

sal

pimienta

500 gramos de champiñones

1 cucharada de harina

2 cucharadas de leche

1/2 cucharada de mostaza

6 huevos

150 gramos de queso rallado

▶ Lavar la espinaca y cocinarla en una cacerola, sólo con el agua que haya quedado en las hojas después del lavado. Escurrir bien.

▶ Derretir la mitad de la manteca en una sartén. Incorporar la espinaca y saltearla. Condimentarla con sal y pimienta. Retirarla y reservarla.

▶ Filetear los champiñones. Cocinarlos en la sartén, con el resto de la manteca, la harina, la leche y la mostaza, durante 5 minutos. Retirarlos y salpimentarlos.

▶ Repartir la espinaca dentro de 6 cazuelas individuales enmantecadas. Distribuir arriba los champiñones, en forma de corona. Colocar en el centro un huevo sin cáscara. Espolvorear los huevos con queso rallado.

▶ Llevar a horno de temperatura moderada durante 20 minutos.

Comer 100 gramos de queso rallado equivale a ingerir 390 calorías, tantas como las que aportan un sándwich de carne con lechuga, tomate y mayonesa más una banana.

Lomitos Ámbar

INGREDIENTES

8 medallones de lomo
sal
pimienta
2 cucharadas de harina
8 cucharadas de aceite de maíz
6 échalotes
1 cebolla chica
1 vaso de vino marsala
200 cc de crema de leche

▶ Salpimentar los medallones de lomo, pasarlos por la harina y eliminar el excedente.

▶ Calentar el aceite en una sartén y dorar los medallones hasta sellarlos de ambos lados.

▶ Agregar las *échalotes* y la cebolla picadas. Mezclar.

▶ Verter el vino y raspar el fondo del recipiente para recuperar los jugos de cocción caramelizados.

▶ Hervir durante unos minutos, hasta que se evapore el alcohol.

▶ Añadir la crema, salpimentar y revolver.

▶ Completar la cocción durante 8 minutos más.

▶ Servir los medallones salseados, acompañados con puré de papas.

MALFATTI CON SALSA DE TOMATES Y ALBAHACA

INGREDIENTES

MALFATTI	SALSA
2 atados de espinaca	1 diente de ajo
100 gramos de ricota	2 cucharadas de aceite de oliva
5 huevos	1 lata de puré de tomates
200 gramos de queso parmesano	12 hojas de albahaca
sal	
pimienta	
nuez moscada	
2 cucharadas de harina	

MALFATTI

▶ Lavar la espinaca y hervirla durante 1 minuto. Escurrirla, refrescarla con agua fría, exprimirla y picarla.

▶ Mezclar la espinaca con la ricota. Agregar los huevos y el parmesano rallado. Condimentar con sal, pimienta y nuez moscada. Incorporar la harina y unir bien.

▶ Dejar reposar en la heladera por lo menos 1 hora.

▶ Tomar porciones de masa, formar esferas pequeñas y pasarlas por harina.

▶ Hervir los *malfatti* en abundante agua salada durante 3 minutos.

▶ Retirarlos con espumadera y servirlos con la salsa.

SALSA

▶ Picar finamente el ajo y rehogarlo en una cacerola con el aceite de oliva.

▶ Añadir el puré de tomates y cocinar durante 5 minutos.

▶ Perfumar con la albahaca en juliana y servir sobre los *malfatti*.

MOLDEADO DE ATÚN Y VEGETALES

INGREDIENTES

1 paquete de surtido primavera de vegetales congelados

(chauchas, choclos, arvejas, zanahorias)

sal

aceite de oliva

vinagre

1 lata de atún

1 taza grande de queso crema

1 taza grande de mayonesa

ciboulette

▸ Cocinar los vegetales como indica el envase. Aliñarlos con sal, aceite de oliva y vinagre. Dejarlos reposar.

▸ Procesar el atún junto con el queso crema, la mayonesa y 2 cucharadas de vinagre. Pasar a un bol.

▸ Escurrir muy bien los vegetales. Reservar 1 taza para decorar. Integrar el resto con la preparación de atún.

▸ Colocar la mezcla dentro de un molde savarin apenas aceitado. Alisar la superficie.

▸ Llevar a la heladera durante 2 horas. Desmoldar.

▸ Llenar con los vegetales reservados el hueco central del savarin. Decorar con *ciboulette*.

La gimnasia no es una cuestión de moda. Con la cola más alta o más baja, hacer cualquier tipo de ejercicio es necesario, saludable y vital.

NIÑOS ENVUELTOS

INGREDIENTES

4 escalopes de ternera grandes y delgados

1 cucharada de mostaza

4 tajadas de jamón cocido

4 tajadas de queso de máquina

sal

pimienta

50 gramos de manteca

1 vaso de oporto

▶ Extender los escalopes sobre una tabla. Untarlos con la mostaza.

▶ Sobre cada uno ubicar una tajada de jamón y otra de queso.

▶ Enrollar y sujetar con palillos. Salpimentar.

▶ Derretir la manteca en una sartén. Incorporar los niños envueltos y dorarlos en toda su superficie.

▶ Verter el oporto y cocinar durante 10 minutos a fuego lento.

▶ Acompañar con puré de papas enriquecido con puerro rehogado.

No saltee comidas, para no llegar con excesivo apetito al horario siguiente.

Omelette Nupcial

INGREDIENTES

1 lata de espárragos verdes
5 huevos
2 cucharadas de perejil picado
2 cucharadas de queso *gruyère* rallado
sal
pimienta
25 gramos de manteca
1 pizca de nuez moscada
200 gramos de *mozzarella*

▪ Escurrir muy bien los espárragos, trozarlos y reservarlos.

▪ Batir los huevos junto con el perejil y el queso. Salpimentar a gusto.

▪ En una sartén grande fundir la manteca. Cuando espume, verter el batido y cocinar durante 4 minutos.

▪ Colocar encima los espárragos. Condimentarlos con sal, pimienta y nuez moscada. Esparcir la *mozzarella* rallada.

▪ Doblar la *omelette* por la mitad y seguir cocinando a fuego moderado durante 2 minutos. Dar vuelta y completar la cocción durante 3 minutos más.

Con mi cuerpo redondito puedo ser una fuente de vigor, placer, admiración, alegría, entusiasmo y respeto.

PATÉ DE SARDINAS

INGREDIENTES

1 lata grande de sardinas
jugo de 1 limón
2 cucharadas de aceite de oliva
1 copa de vino blanco
1 taza de queso crema
1 taza de salsa golf
1 sobre de gelatina sin sabor

▶ Escurrir las sardinas, sacarles las espinas y ubicarlas en un recipiente. Bañarlas con el jugo de limón, el aceite de oliva y el vino blanco. Dejarlas marinar durante pocos minutos.

▶ Retirar las sardinas del recipiente. Colar el líquido y reservarlo.

▶ Procesar las sardinas junto con el queso crema y la salsa golf.

▶ Hidratar la gelatina con el líquido de la marinada y agregarla. Unir bien.

▶ Colocar la preparación dentro de un cuenco, o distribuirla en moldes individuales.

▶ Enfriar durante 2 horas en la heladera.

▶ Presentar en el cuenco o desmoldar. Servir con tostadas, grisines y galletas. Si se desea, acompañar con ensalada fresca a elección.

No pase horas sin ocuparse de algo. El aburrimiento es el peor enemigo de la balanza.

PERLAS HUMECTANTES

INGREDIENTES

60 gramos de manteca

3 cucharadas colmadas de harina

350 cc de leche

1 cebolla chica

manteca extra para saltear

1 cucharadita de pimentón

2 yemas

sal

pimienta

250 gramos de camarones

1 huevo

pan rallado

aceite para freír

‣ Hacer una salsa blanca con la manteca, la harina y la leche.

‣ Mientras la salsa espesa, picar la cebolla, saltearla en una pequeña cantidad extra de manteca y sazonarla con el pimentón.

‣ Añadir la cebolla a la salsa blanca. Incorporar las yemas batidas, mientras se revuelve. Salpimentar a gusto. Seguir cocinando durante pocos minutos.

‣ Incorporar los camarones, cocinar un momento más y retirar.

‣ Extender la preparación sobre una asadera aceitada. Dejar enfriar.

‣ Cortar las perlas con un cortapastas redondo. Pasarlas por el huevo batido y luego por pan rallado.

‣ Freírlas en abundante aceite bien caliente. Retirarlas con espumadera y escurrirlas sobre papel absorbente.

‣ Presentar con ensalada de hojas verdes.

PLATO FRESCO MULTICOLOR

INGREDIENTES

1 kilo de zanahorias

1 repollo

50 gramos de nueces

2 manzanas verdes

jugo de 1 limón

1 taza de mayonesa

1 taza de queso crema

1 sobre de gelatina sin sabor

1 copita de jerez

▸ Rallar las zanahorias. Cortar el repollo en juliana. Picar las nueces.

▸ A último momento cortar las manzanas en bastones muy finos y rociarlas con el jugo de limón.

▸ Unir la mayonesa con el queso crema.

▸ Incorporar la gelatina hidratada en el jerez.

▸ Integrar las zanahorias, el repollo, las nueces y las manzanas con la mezcla de gelatina.

▸ Colocar la preparación dentro de un molde savarin humedecido.

▸ Llevar a la heladera durante 2 horas como mínimo, hasta que esté firme.

▸ Desmoldar y, si se desea, decorar con flores de zanahoria y hojas de repollo.

Coloque una balanza delante de la heladera. Será una barrera que lo ayudará a tomar conciencia para no caer en la tentación.

SALCHICHAS ENAMORADAS

INGREDIENTES

8 salchichas de Viena

8 lonjas de panceta ahumada

1 cebolla chica

1 cucharada de aceite

100 gramos de harina

2 huevos

250 cc de leche

100 cc de agua

sal

pimienta

▶ Envolver cada salchicha en una lonja de panceta. Colocarlas en una fuente térmica y cubrirlas con la cebolla cortada en juliana. Rociar con el aceite.

▶ Hornear a calor fuerte hasta dorar.

▶ Mientras tanto, mezclar en un bol la harina, los huevos, la leche y el agua. Salpimentar. Batir durante 2 minutos con batidor de alambre.

▶ Retirar las salchichas del horno y verter sobre ellas la mezcla anterior.

▶ Volver al horno y continuar la cocción de 20 a 30 minutos más.

Siéntase bien con su cuerpo y acéptese.

TAPA DE ASADO MEDITERRÁNEA

INGREDIENTES

1 tapa de asado
sal
pimienta
tomillo
3 huevos
1 taza de queso parmesano rallado
unas hojas de albahaca
6 corazones de alcauciles al natural
6 tomates secos
6 aceitunas negras descarozadas
6 zanahorias *baby*

▸ Conseguir una tapa de asado chica y abrirla cuidadosamente por un lado, de manera que quede como una bolsa.

▸ Salpimentarla y espolvorearla con tomillo.

▸ Preparar una pasta con los huevos, el queso y la albahaca picada.

▸ Rellenar la carne con la pasta, intercalando los corazones de alcauciles, los tomates secos, las aceitunas y las zanahorias.

▸ Cerrar la abertura con palillos o costura.

▸ Colocar la carne rellena en una asadera ligeramente aceitada.

▸ Cocinar durante 1 hora en horno caliente.

▸ Acompañar con ensalada de rúcula y viruta de parmesano.

TARTA AMARILLA

INGREDIENTES

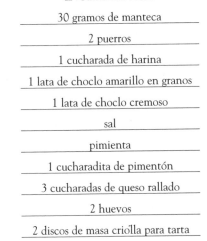

30 gramos de manteca

2 puerros

1 cucharada de harina

1 lata de choclo amarillo en granos

1 lata de choclo cremoso

sal

pimienta

1 cucharadita de pimentón

3 cucharadas de queso rallado

2 huevos

2 discos de masa criolla para tarta

▶ Calentar la manteca en una sartén. Rehogar los puerros picados. Cuando estén transparentes incorporar la harina, mezclar y retirar del fuego.

▶ Agregar poco a poco las dos clases de choclo. Revolver y llevar de nuevo al fuego durante 1 minuto. Retirar y dejar entibiar.

▶ Condimentar con sal, pimienta y pimentón. Incorporar el queso rallado y los huevos batidos (reservar un poco para pintar la masa).

▶ Forrar una tartera mediana con un disco de masa. Rellenar con la preparación de choclo. Cubrir con el otro disco de masa y hacer un repulgo. Pintar con el huevo batido que se había reservado.

▶ Hornear a calor entre moderado y fuerte hasta que esté dorada.

▶ Servir caliente, tibia o fría.

TATIN DE TOMATES

INGREDIENTES

2 kilos de tomates perita

aceite de oliva

1 cebolla

1 taza de trigo burgol

1 ramo de albahaca

1 diente de ajo

sal

pimienta

1 taza de queso rallado

1 disco de masa para tarta

▶ Lavar los tomates, cortarlos por el medio y quitarles las semillas con una cucharita.

▶ Saltearlos en una sartén con un poco de aceite de oliva. Reservarlos.

▶ Picar la cebolla y rehogarla con el aceite que haya quedado en la sartén.

▶ Lavar y escurrir el trigo. Mezclarlo con la cebolla.

▶ Picar finamente la albahaca y el ajo y agregarlos.

▶ Colocar los tomates en una tartera untada con aceite de oliva. Salpimentarlos.

▶ Esparcir arriba la mezcla de trigo.

▶ Espolvorear con el queso rallado.

▶ Por último cubrir con la masa.

▶ Hornear durante 20 minutos a 240ºC y 10 minutos más a 180ºC.

TERRINA DE TRES QUESOS

INGREDIENTES

1 taza de ricota
1 taza de queso crema
1 taza de queso roquefort desmenuzado
1 corazón de apio
2 manzanas verdes
jugo de 1 limón
50 gramos de nueces
1 sobre de gelatina sin sabor
1 vaso de jerez

▶ Procesar la ricota junto con el queso crema y el roquefort.

▶ Cortar en dados pequeños el apio y las manzanas; rociar éstas con el jugo de limón.

▶ Picar gruesamente las nueces.

▶ Integrar el apio, las manzanas y las nueces a la mezcla de quesos.

▶ Hidratar la gelatina en el jerez, calentarla hasta que se disuelva y agregarla rápidamente.

▶ Verter la preparación en un molde para terrina tapizado con film.

▶ Llevar al frío por lo menos 2 horas antes de servir.

▶ Desmoldar y salsear, si se desea, con mayonesa aligerada con crema de leche.

No lleve la fuente a la mesa. Si no la ve, le resultará más fácil resistir la tentación de servirse otra vez.

TOMATES PRIMAVERA

INGREDIENTES

2 berenjenas

1 cucharada de aceite

2 cebollas de verdeo

1 pimiento rojo

2 cucharadas de queso crema

1 cucharada de mayonesa

1 cucharada de perejil picado

sal

pimienta de molinillo

4 tomates grandes

50 gramos de aceitunas rellenas con morrones

▶ Lavar y secar las berenjenas. Ubicarlas en una asadera. Cocinarlas en el horno a calor moderado durante 1 hora aproximadamente; darlas vuelta de vez en cuando hasta que la piel se arrugue y cambie de color.

▶ Retirarlas y dejarlas enfriar un poco. Quitarles la cáscara y parte de las semillas. Picar finamente la pulpa.

▶ Calentar el aceite en una sartén. Rehogar las cebollas de verdeo y el pimiento picados.

▶ Añadirlos a las berenjenas y mezclar bien.

▶ Incorporar el queso crema, la mayonesa y el perejil. Condimentar con sal y pimienta. Unir, llevar a la heladera y reservar.

▶ Cortar una tapita a cada tomate. Ahuecarlos, salarlos por dentro y dejarlos reposar boca abajo para que suelten el exceso de jugo.

▶ Rellenar los tomates con la preparación de berenjenas.

▶ Decorar con rodajas de aceitunas rellenas y hojas de perejil.

▶ Acompañar con ensalada de berro.

COPAS DE CAFÉ Y NUEZ

INGREDIENTES

4 yemas
80 gramos de azúcar impalpable
250 gramos de queso crema
3 cucharaditas de café instantáneo
60 gramos de nueces
100 cc de crema de leche
mitades de nueces para decorar

▶ Batir las yemas con el azúcar impalpable hasta que blanqueen.
▶ Agregar el queso crema y unir bien.
▶ Añadir el café y las nueces picadas.
▶ Batir la crema e incorporarla.
▶ Integrar todo con suaves movimientos envolventes.
▶ Distribuir la preparación en copas.
▶ Llevar a la heladera durante 2 horas como mínimo.
▶ Decorar con mitades de nueces antes de servir.

No diga: "Me siento una vaca. ¿Con estos rollos querés que vaya a la playa? ¡Mirá mi ropero, nada me entra!". De tanto decirlo, uno empieza a creerlo.

CRÊPES DE MANZANA

INGREDIENTES

1 huevo

2 cucharadas de harina

1/2 taza de leche

1 cucharada de coñac

1 pizca de sal

1 cucharada de aceite o manteca derretida

4 ó 5 manzanas deliciosas

60 gramos de manteca

1 cucharada de ralladura de limón

azúcar

canela molida

▶ Colocar en la licuadora el huevo, la harina, la leche, el coñac, la sal y el aceite o la manteca derretida. Licuar hasta obtener una pasta lisa y homogénea. Si resultara demasiado espesa, agregar un poco más de leche.

▶ Calentar una panquequera. Verter una porción de pasta y hacerla correr para formar una *crêpe*. Cuando esté cocida de un lado darla vuelta con ayuda de una espátula y cocinarla del otro lado. Retirarla y pasarla a un plato. Repetir la operación con la pasta restante para hacer más *crêpes*. Apilarlas a medida que estén listas.

▶ Pelar las manzanas y cortarlas en gajos. Saltearlas en una sartén con 30 gramos de manteca, removiendo constantemente hasta que estén tiernas pero no deshechas. Retirar y perfumar con la ralladura de limón.

▶ Distribuir las manzanas sobre las *crêpes* y enrollar.

▶ Acomodar las *crêpes* en una fuente térmica enmantecada. Colocar una pequeña cantidad de la manteca restante sobre cada una. Espolvorear con azúcar y canela.

▶ Hornear a calor moderado de 6 a 8 minutos, hasta que resulten acarameladas.

▶ Acompañar con crema de leche ligeramente batida o helado de crema.

FLAN DE DURAZNOS

INGREDIENTES

150 gramos de azúcar
1 lata de duraznos
1 frasco chico de cerezas al marrasquino
50 gramos de chips de chocolate
12 vainillas
1 copita de licor marrasquino
1 paquete grande de flan de vainilla
750 cc de leche

▶ Fundir el azúcar para lograr un caramelo. Colocarlo dentro de un molde con tubo central y deslizarlo por todo el interior. Dejar enfriar.

▶ Escurrir los duraznos (guardar el almíbar) y cortarlos en gajos. Acomodar una capa en el fondo del molde acaramelado. Intercalar algunas cerezas y chips de chocolate. Cubrir con trozos de vainillas y humedecer con parte del almíbar de los duraznos mezclado con el licor. Repetir las capas hasta terminar con los ingredientes. Reservar.

▶ Preparar el flan como indica el envase, pero con la cantidad de leche que especifica esta receta. Verterlo en caliente sobre la preparación del molde. Dejar enfriar.

▶ Llevar a la heladera hasta que tome consistencia.

▶ Desmoldar y decorar con gajos de duraznos y cerezas. Si se desea, acompañar con crema chantillí.

KIWIS RELLENOS

INGREDIENTES

8 kiwis
3 yemas
2 cucharadas de azúcar
1 cucharada de harina
1 taza de leche
1/2 taza de crema de leche
esencia de vainilla
1 copita de licor a elección
azúcar impalpable para espolvorear

▸ Cortar una tapita en la parte superior de cada kiwi. Con ayuda de una cucharita extraer cuidadosamente la pulpa; cortarla en trozos pequeños. Reservar las cáscaras.

▸ Batir las yemas con el azúcar dentro de un bol.

▸ Agregar la harina e integrarla perfectamente.

▸ Verter la leche caliente sobre la mezcla anterior.

▸ Llevar al fuego hasta que espese ligeramente. Retirar y dejar entibiar.

▸ Batir la crema a medio punto, con la vainilla y el licor, y añadirla.

▸ Incorporar la pulpa de los kiwis.

▸ Rellenar las cáscaras con la preparación.

▸ Decorar con finas rodajas de kiwi y nevar con azúcar impalpable.

MANJAR DE COCO

INGREDIENTES

200 gramos de manteca

200 gramos de azúcar

3 huevos

200 gramos de coco rallado

200 gramos de harina leudante

200 gramos de dulce de leche

cantidad extra de coco y dulce de leche para decorar

▶ Unir la manteca blanda con el azúcar.

▶ Incorporar los huevos de a uno, batiendo cada vez.

▶ Añadir el coco y por último la harina leudante.

▶ Colocar la preparación en una tartera y alisar la superficie con ayuda de una espátula.

▶ Cocinar en el horno a calor moderado durante 35 minutos.

▶ Retirar, dejar enfriar y desmoldar.

▶ Para ahuecar, hacer un corte cerca del contorno y extraer la miga del centro.

▶ Desmenuzar la miga, mezclarla con el dulce de leche y rellenar el manjar ahuecado.

▶ Espolvorear el centro con coco rallado. Decorar el borde con copos de dulce de leche pastelero puesto en manga con boquilla rizada.

Si trabaja todo el día y no tiene tiempo de merendar, lleve en el bolsillo dos galletitas o un alfajor *light*. Llegará a casa menos ansioso.

TORTA DE BANANA Y NUEZ

INGREDIENTES

4 huevos

300 gramos de azúcar

400 cc de crema de leche

100 gramos de nueces

2 bananas

500 gramos de harina leudante

GLASÉ

3 claras

jugo de 1 limón

300 gramos de azúcar impalpable

▶ En un bol mezclar los huevos con el azúcar y la crema.

▶ Agregar las nueces picadas y las bananas cortadas en rodajas.

▶ Por último incorporar la harina y unir en forma envolvente.

▶ Colocar la preparación en un molde savarin.

▶ Cocinar durante 1 hora en horno de temperatura moderada.

▶ Retirar, dejar enfriar y desmoldar.

GLASÉ

▶ Formar una pasta corrediza con las claras, el jugo de limón y el azúcar impalpable.

▶ Bañar la torta y dejar secar antes de cortar.

¿SABES QUIÉN VIENE A CENAR?

CREACIONES PARA RECIBIR

ARROLLADO DE POLLO

INGREDIENTES

4 medias pechugas de pollo

deshuesadas, sin piel

sal

pimienta

ajo

perejil

albahaca

6 rebanadas de pan lácteo

o 1 plancha de pan de miga

4 huevos

1 taza de queso provolone rallado

400 gramos de arvejas congeladas

▶ Pasar el palo de amasar sobre las pechugas, para reducir el espesor. Acomodarlas sobre un trozo de papel de aluminio aceitado. Condimentarlas con sal, pimienta, ajo, perejil y albahaca picados.

▶ Cubrirlas con las rebanadas de pan lácteo descortezadas o la plancha de pan de miga.

▶ Batir apenas los huevos. Combinarlos con el queso y las arvejas. Extender la mezcla sobre el pan.

▶ Enrollar con ayuda del papel y ubicar el rollo en una asadera.

▶ Cocinar durante 1 hora en horno de temperatura moderada.

▶ Retirar y esperar unos minutos antes de quitar el papel.

BOCCONCINI DE JAMÓN CRUDO Y MOZZARELLA CON COULIS DE MELÓN

INGREDIENTES

2 melones chicos
1 vaso de vino moscato
1 cucharada de azúcar
300 gramos de *mozzarella*
150 gramos de jamón crudo
ciboulette

▸ Utilizar uno de los melones para tallar una canasta. Hacer dos cortes en ángulo recto a cada costado de la mitad superior, dejando en el centro una franja de 5 cm que simulará la manija. Retirar cuidadosamente la pulpa y guardarla.

▸ Partir el otro melón por el medio. Quitar las semillas de ambas mitades, para formar dos recipientes. Reservarlos.

▸ Colocar en la licuadora la pulpa que se extrajo del melón tallado, el vino moscato y el azúcar. Licuar para obtener el *coulis*.

▸ Cortar la *mozzarella* en *bocconcini* (esferas del tamaño de un bocado). Envolver cada uno con una lonja de jamón.

▸ Presentar el *coulis* en los recipientes de melón y los *bocconcini* en la canasta. Adornar con pequeños atados de *ciboulette*.

▸ Servir como entrada o como parte de un bufé frío; en este último caso, insertar en cada *bocconcino* un palillo para copetín.

El melón contiene sólo 25 calorías cada 100 gramos. Además de ayudar a mantener la línea, es una buena fuente de minerales y vitaminas A y C.

CARRÉ DE TERNERA CON CEBOLLAS CONFITADAS

INGREDIENTES

6 cebollas chicas

aceite de uva

1 y 1/2 kilo de carré de ternera

sal

pimienta

tomillo

perejil

1 puerro

100 gramos de manteca

1 kilo de papas

200 gramos de arvejas congeladas

2 tazas de caldo

❱ Pelar 4 cebollas y dejarlas enteras. Rehogarlas con un poco de aceite en una sartén apta para horno. Incorporar el carré y sellarlo en toda su superficie. Sazonar con sal, pimienta, tomillo y perejil picados. Llevar al horno y cocinar a calor fuerte durante 1 hora.

❱ Mientras tanto picar el puerro y las otras 2 cebollas. Saltearlos con la manteca en otra sartén apta para horno. Incorporar las papas cortadas en rodajas y las arvejas. Dejar que las papas se doren ligeramente. Añadir 1 taza de caldo. Cocinar en otro estante del horno durante 30 minutos. Retirar y reservar al calor.

❱ Poco antes de que se cumpla el tiempo indicado para el carré, verter en la sartén la otra taza de caldo, que formará una salsa con los jugos de la cocción. Retirar la carne y las cebollas. Colar la salsa.

❱ Cortar la carne en rebanadas y bañarlas con la salsa. Acompañar con las cebollas y la guarnición de papas y arvejas.

CASSATA DE JAMÓN

INGREDIENTES

1 pionono
2 tazas de mayonesa
200 gramos de jamón cocido
200 gramos de queso de máquina
4 huevos duros
200 gramos de aceitunas negras y verdes descarozadas
2 cucharadas de ketchup
1 lata de palmitos

▶ Dividir el pionono por la mitad. Cortar una parte en 2 rectángulos y la otra en tiras de 3 cm de ancho.

▶ Forrar el fondo y las paredes de un molde para budín inglés con las tiras de pionono; cuidar que el lado oscuro y el claro queden visibles alternadamente.

▶ Untar apenas con mayonesa. Tapizar con lonjas de jamón y de queso.

▶ Mezclar la mitad de la mayonesa con los huevos duros picados y las aceitunas cortadas en ruedas. Colocar esta preparación en el molde y cubrir con uno de los rectángulos de pionono.

▶ Combinar la mayonesa restante con el ketchup y los palmitos picados. Volcar dentro del molde y apoyar encima el otro rectángulo de pionono.

▶ Prensar ligeramente y llevar a la heladera por lo menos 2 horas antes de desmoldar.

Las personas no venimos en talle único. El XL también existe.

CHARLOTTES DE TRUCHA AHUMADA Y PALTA

INGREDIENTES

1 pionono	1 sobre de gelatina sin sabor
2 truchas ahumadas	400 gramos de queso crema
2 cucharadas de aceite de oliva	200 gramos de mayonesa
jugo de 2 limones	1 lata de palmitos
2 copas de champaña	150 gramos de salsa golf
1 tallo de apio	apio, eneldo, escarola fina
2 paltas	y caviar imitación negro
50 gramos de manteca	para decorar

‣ Cortar 6 tiras de acetato de 3 cm de ancho por 32 cm de largo. Unir los extremos, encimándolos lo necesario para formar aros de 10 cm de diámetro. Pegar con cinta adhesiva.

‣ Cortar 6 discos de pionono de 10 cm de diámetro. Colocar uno dentro de cada aro de acetato.

‣ Cortar 6 tiras de pionono de 2,5 cm de ancho por 30 cm de largo. Tapizar con ellas las paredes de los aros.

‣ Marinar las truchas con el aceite de oliva, el jugo de limón y la mitad del champaña durante 1 hora. Escurrirlas y cortarlas en trozos chicos. Mezclarlas con el apio picado.

‣ Pelar las paltas y cortarlas en dados pequeños. Rehogarlas en la manteca, para que conserven su color. Procesarlas.

‣ Hidratar la gelatina con el resto del champaña. Calentarla hasta que se disuelva. Reservarla.

‣ Unir cada una de las preparaciones anteriores con 200 gramos de queso crema, 100 gramos de mayonesa y la mitad de la gelatina.

‣ Cortar los palmitos en trozos pequeños y mezclarlos con la salsa golf.

‣ Distribuir en los aros la mezcla de palmitos, luego la de paltas y por último la de truchas. Emparejar y enfriar en la heladera hasta que la gelatina solidifique.

‣ Quitar el acetato. Decorar las *charlottes* con apio, eneldo, escarola y caviar imitación.

ENSALADA DE PAPAS, CAVIAR Y RUCÚLA

INGREDIENTES

1 kilo de papas

2 atados de rúcula

sal

pimienta

1 taza de mayonesa

1/2 taza de queso blanco

2 cucharadas de aceite de oliva

1/2 vaso de vino blanco

ciboulette

1 frasco chico de caviar imitación

▸ Lavar muy bien las papas, cepillándolas bajo el chorro de la canilla. Lavar también la rúcula.

▸ Cocinar las papas con cáscara, a partir de agua fría, hasta que estén tiernas pero aún firmes. Escurrirlas y dejarlas entibiar. Pelarlas y cortarlas en rodajas.

▸ Preparar una vinagreta con la sal, la mayonesa, el queso blanco, el aceite de oliva y el vino.

▸ Colocar las papas en el centro de una fuente y bañarlas con la vinagreta.

▸ Esparcir arriba la *ciboulette* picada y el caviar.

▸ Disponer alrededor las hojas de rúcula.

▸ Saborear en el momento.

Acostúmbrese a comer ensalada como primer plato. Comprobará que es útil para terminar el almuerzo o la cena sin desarreglos.

FLAN DE ESPÁRRAGOS

INGREDIENTES

1 atado de espárragos
2 cucharadas de manteca
2 cucharadas de harina
1 litro de leche
6 huevos
1/2 taza de queso rallado
sal
pimienta
200 gramos de azúcar para acaramelar

▶ Limpiar los espárragos quitándoles las partes fibrosas con ayuda del pelapapas.

▶ Cocinarlos durante 7 minutos en agua hirviente con sal. Escurrirlos.

▶ Cortar las puntas de los espárragos y reservarlas para decorar. Procesar el resto.

▶ Preparar una salsa blanca con la manteca, la harina y la leche.

▶ Incorporar los huevos, el queso y los espárragos procesados. Salpimentar.

▶ Acaramelar una flanera con el azúcar. Verter la preparación.

▶ Hornear a 150°C, a baño de María, durante 1 hora.

▶ Retirar, dejar enfriar y desmoldar. Decorar con las puntas de espárragos que se habían reservado.

▶ Acompañar con carnes frías.

Los cuerpos humanos vienen en diversas formas y medidas, con distintos pesos, distintas texturas, distintas consistencias, ángulos y redondeces.

MILHOJAS DE TOMATES Y CAMARONES

INGREDIENTES

2 kilos de tomates perita

1 palta

1 cucharada de manteca

1 corazón de apio

250 gramos de camarones

jugo de 1 limón

aceite de oliva

1 taza de mayonesa

▶ Pelar los tomates. Cortarles los extremos. Hacerles un corte en la parte superior y quitarles las semillas. Acomodarlos en una fuente plana, apoyar sobre ellos una tabla y colocar encima un peso de aproximadamente 1 kilo (por ejemplo, 2 latas de tomates u otra conserva). Dejarlos reposar durante 1 hora.

▶ Mientras tanto, pelar la palta y cortarla en dados pequeños. Rehogarla en la manteca, para evitar que se oscurezca. Retirarla.

▶ Cortar en trozos pequeños el apio y la mitad de los camarones. Salpimentar ambos ingredientes. Rociarlos con el jugo de limón y un hilo de aceite de oliva. Reservarlos hasta que se cumpla el tiempo de reposo de los tomates.

▶ Escurrir muy bien la palta, el apio y los camarones. Mezclar todo con la mayonesa.

▶ Armar cada milhojas con tres tomates aplanados, intercalando entre ellos la preparación de camarones. Prensar y recortar los bordes.

▶ Decorar con los camarones restantes, enteros.

OSSOBUCO RELLENO

INGREDIENTES

1 hueso de *ossobuco* sin carne
sal
pimienta
tomillo
1 diente de ajo
1 kilo de papas
1 kilo de tomates
aceite de oliva para saltear
tostadas de pan negro y blanco

» Comprar el *ossobuco* cortado a lo largo. Condimentarlo con sal, pimienta, tomillo y el ajo picado.

» Ubicarlo en una asadera y cocinarlo en el horno durante 30 minutos.

» Mientras tanto, pelar, trozar y hervir las papas.

» Retirar el *ossobuco* del horno y extraer el caracú.

» Escurrir las papas y procesarlas junto con el caracú. Salpimentar a gusto.

» Colocar en una manga el puré que se obtuvo y rellenar en forma decorativa el hueco del *ossobuco*.

» Pelar los tomates, quitarles las semillas y cortarlos en cubos pequeños. Saltearlos brevemente en aceite de oliva, retirarlos y salpimentarlos.

» Recortar las tostadas con un cortapastas redondo.

» Presentar el *ossobuco* relleno sobre una fuente alargada, con los tomates alrededor y las tostadas en el borde.

PECETO AL VINO BLANCO

INGREDIENTES

1 peceto chico
2 cucharadas de mostaza
1 vaso de vino blanco
1 cebolla
1 diente de ajo
1 ramito de tomillo
sal
pimienta
aceite de oliva
2 tazas de leche
mayonesa (opcional)

▶ Limpiar el peceto y untarlo con la mostaza.

▶ Colocarlo en un recipiente junto con el vino, la cebolla cortada en trozos, el ajo aplastado y el tomillo. Dejarlo marinar durante 2 horas.

▶ Retirar el peceto, salpimentarlo y sellarlo en una sartén con aceite de oliva, hasta dorar toda la superficie.

▶ Ubicar el peceto en una cacerola, junto con el líquido de la marinada y la leche. Cocinar durante 1 hora a fuego moderado.

▶ Dejar enfriar y cortar en rodajas bien finas.

▶ Es ideal para servir con flan de espárragos (pág. 49). Si se desea, salsear con mayonesa.

Tenga siempre a mano un salvavidas contra los ataques de hambre. Los caramelos *light* de menta son eficaces, porque su sabor persistente quita las ganas de comer otras cosas.

PECETO CON CROCANTE DE SÉSAMO

INGREDIENTES

300 gramos de porotos de manteca

2 pimientos rojos

sal

azúcar

1 peceto chico

pimienta

1/2 cucharada de salsa de soja

jugo de 1 limón

5 cucharadas de aceite de oliva

50 gramos de semillas de sésamo

1 cucharada de manteca

2 dientes de ajo

▶ Remojar los porotos durante 12 horas. Hervirlos en abundante agua hasta que estén a punto. Colarlos y reservarlos.

▶ Asar los pimientos. Pelarlos y quitarles las semillas. Extenderlos sobre una placa forrada con silpat. Espolvorearlos con sal y azúcar. Cocinarlos en el horno a temperatura mínima durante 1 hora.

▶ Disponer el peceto dentro de un recipiente. Salpimentarlo y bañarlo con la salsa de soja, el jugo de limón y 3 cucharadas de aceite de oliva. Dejar marinar por lo menos 1 hora.

▶ Retirar el peceto de la marinada. Escurrirlo bien. Reservar el líquido.

▶ Espolvorear el peceto con las semillas de sésamo. Sellarlo en una sartén, con 1 cucharada de aceite de oliva y la manteca, hasta que tome color en toda su superficie.

▶ Pasarlo a una asadera y agregarle el líquido de la marinada. Cocinar en horno de temperatura moderada durante 30 minutos.

▶ En una sartén calentar el resto del aceite de oliva, junto con el ajo aplastado. Incorporar los porotos y los pimientos cortados en tiras. Saltearlos brevemente y salpimentarlos.

▶ Presentar el peceto cortado en tajadas, con la guarnición de porotos y pimientos a un costado.

PECETO CON SABAYÓN DE PIMIENTOS

INGREDIENTES

2 cucharadas de aceite
1 peceto chico
1 cebolla
1/2 vaso de vinagre de vino blanco
laurel
pimienta negra en grano
sal
3 pimientos rojos
3 yemas
1 vaso de vino blanco
1/2 taza de crema de leche
1 atado de espárragos verdes

▶ En una cacerola con el aceite caliente sellar el peceto en toda su superficie. Incorporar la cebolla en rodajas, el vinagre, el laurel y la pimienta. Salar, tapar y cocinar de 50 a 60 minutos.

▶ Asar los pimientos en el horno. Pelarlos, quitarles las semillas y licuarlos. Salarlos a gusto.

▶ Batir las yemas a baño de María. Incorporar gradualmente el vino, mientras se sigue batiendo hasta alcanzar un punto espeso y espumoso. Unir con los pimientos y la crema semibatida.

▶ Cortar un espárrago crudo en 4 ó 5 cintas, con el pelapapas. Blanquearlas y reservarlas.

▶ Cocinar al vapor los espárragos restantes. Utilizar sólo las puntas (guardar los tallos para otra preparación). Atarlas de a tres con las cintas reservadas.

▶ Presentar el peceto cortado en rodajas y salseado con el sabayón de pimientos. Acompañar con los atados de espárragos.

PECHUGA TONNÉ Y PAPAS CON CIBOULETTE

INGREDIENTES

2 pechugas de pollo deshuesadas, sin piel

sal

pimienta

mostaza

aceite

1 lata de atún

1 taza de mayonesa

1 taza de queso crema

3 cucharadas de vinagre de vino blanco

3 cucharadas de vino blanco

100 gramos de aceitunas verdes descarozadas

1 kilo de papas

1 cebolla

unas gotas de vinagre de alcohol

ciboulette

1 taza de mayonesa

▸ Condimentar las pechugas con sal, pimienta y mostaza.

▸ Acomodarlas en una asadera y rociarlas con aceite.

▸ Cocinarlas en el horno hasta que estén tiernas, cuidando que no resulten secas. Retirarlas y dejarlas enfriar.

▸ Filetearlas y disponerlas en forma escalonada sobre una fuente.

▸ Colocar en la licuadora el atún escurrido, la mayonesa, el queso crema, el vinagre y el vino. Licuar hasta obtener una salsa homogénea. Cubrir con ella las pechugas. Esparcir arriba las aceitunas picadas.

▸ Pelar las papas y cortarlas en cubos pequeños. Hervirlas en agua con la cebolla entera y el vinagre. Escurrirlas y dejarlas enfriar.

▸ Combinar las papas con la *ciboulette* picada y la mayonesa. Repartir la mezcla en moldes individuales. Desmoldar en el momento justo después de moldear. Presentar con las pechugas.

PIE DE POLLO Y PAPAS

INGREDIENTES

MASA	4 papas
400 gramos de harina	75 gramos de manteca
150 gramos de manteca	1 diente de ajo
1 pizca de sal	laurel
1 cucharada de pimentón dulce	2 pechugas de pollo deshuesadas,
200 cc de agua	sin piel
RELLENO	1/2 vaso de oporto
6 cebollas chicas	tomillo
sal gruesa	yema para pintar

MASA

▸ Procesar la harina junto con la manteca, la sal y el pimentón. Verter el agua fría y seguir procesando hasta unir.

RELLENO

▸ Lavar las cebollas con cáscara. Acomodarlas en una asadera, sobre un lecho de sal gruesa. Hornearlas durante 40 minutos. Retirarlas y dejarlas entibiar.

▸ Pelar las papas y cortarlas en rodajas. Blanquearlas durante 5 minutos en una cacerola con agua hirviente salada. Escurrirlas y reservarlas.

▸ En una sartén calentar 50 gramos de manteca junto con el ajo cortado en láminas y el laurel. Saltear el pollo a fuego vivo hasta dorarlo de todos lados. Añadir el oporto. Condimentar con sal y pimentón. Cocinar durante 15 minutos. Retirar y cortar el pollo en tiras.

▸ Cortar con tijera los extremos de las cebollas. Presionar entre los dedos para extraer la pulpa. Picarla y mezclarla con el pollo.

▸ Enmantecar generosamente una tartera honda para horno y mesa, de 30 cm de diámetro. Disponer en el fondo la mitad de las papas. Colocar la preparación de pollo y espolvorear con tomillo. Ubicar arriba el resto de las papas y pincelar con la manteca restante derretida.

▸ Estirar la masa y cubrir el relleno. Hacer un repulgo por fuera del borde de la tartera y una chimenea en el centro. Pintar con yema batida.

▸ Hornear a 150ºC durante 40 minutos. Servir enseguida, sin desmoldar.

PIÑAS FESTIVAS

INGREDIENTES

100 gramos de queso provolone

200 gramos de queso parmesano

240 gramos de ricota

240 gramos de queso crema

2 cucharadas de mayonesa

2 cucharadas de *ciboulette* picada

sal

pimienta de molinillo

2 cucharadas de coñac

2 cucharaditas de salsa inglesa

250 gramos de almendras peladas

▸ Rallar finamente el provolone y el parmesano. Colocarlos en un bol grande.

▸ Incorporar la ricota, el queso crema, la mayonesa y la *ciboulette* picada. Condimentar con sal y pimienta. Perfumar con el coñac y la salsa inglesa.

▸ Dejar reposar en la heladera durante 30 minutos.

▸ Retirar y dividir en dos porciones, una más grande que la otra. Darles forma de piñas, con las manos o con ayuda de un molde para huevos de Pascua.

▸ Colocar las piñas de queso sobre una tabla de madera apta para servir. Cubrir con las almendras enteras, insertándolas en forma inclinada para simular las escamas leñosas de las piñas naturales. Adornar con ramitas de eneldo.

▸ Acompañar con tostadas, para untar.

RAVIOLES DE CAMARONES

INGREDIENTES

MASA	1 taza de queso parmesano rallado
250 gramos de harina	sal
100 cc de agua hirviente	pimienta
20 cc de aceite	aceite de oliva
1/2 cucharadita de sal	1 diente de ajo
RELLENO	pimentón
2 puerros	250 gramos de camarones
2 cucharadas de manteca	ADEMÁS
2 cucharadas de harina	100 gramos de manteca
1/2 taza de leche	10 hojas de salvia

MASA

▸ Procesar todos los ingredientes juntos hasta que se forme un bollo.

▸ Retirarlo de la procesadora, cubrirlo con film y dejarlo reposar por lo menos 4 horas.

RELLENO

▸ Picar los puerros y rehogarlos en una cacerola con la manteca. Incorporar la harina y luego la leche. Dejar que espese y retirar del fuego. Unir con el queso rallado y salpimentar. Dejar enfriar.

▸ En una sartén calentar un poco de aceite de oliva, junto con el ajo aplastado y el pimentón. Añadir los camarones y saltearlos.

ARMADO

▸ Estirar la masa hasta dejarla bien fina; procurar que resulte translúcida. Cortar discos de 7 u 8 cm de diámetro. Sobre la mitad de ellos distribuir la pasta de puerros. Disponer encima los camarones, en forma decorativa. Tapar con los otros discos de masa y sellar el contorno.

▸ Cocinar los ravioles en agua hirviente durante 3 minutos. Retirarlos con espumadera.

▸ Calentar la manteca junto con la salvia cortada en juliana. Mezclar con los ravioles y servir.

ROLLS DE AVE CON SALSA DE MORILLAS Y PAPAS TRANSPARENTES

INGREDIENTES

3 medias pechugas de pollo deshuesadas, sin piel

3 huevos

200 gramos de queso parmesano

ajo

perejil

albahaca

50 gramos de morillas (u hongos de pino)

1 cucharada de manteca

100 gramos de échalotes

1 vaso de vino blanco

100 cc de crema de leche

sal

pimienta

1 kilo de papas

2 claras

aceite

‣ Pasar el palo de amasar sobre las pechugas, para reducir su espesor.

‣ Preparar una pasta con los huevos, el parmesano rallado, ajo, perejil y albahaca picados. Cubrir las pechugas y enrollar.

‣ Envolverlas individualmente en papel de aluminio. Cocinarlas durante 20 minutos en el horno caliente.

‣ Mientras tanto rehogar las morillas en una sartén con la manteca. Agregar las *échalotes* picadas y rehogarlas. Verter el vino, revolver y dejar que se evapore el alcohol. Añadir la crema. Cocinar durante 5 minutos. Retirar y salpimentar.

‣ Pelar las papas y cortarlas en láminas lo más finas que sea posible; es importante no sumergirlas en agua para que no pierdan almidón. Pasarlas por las claras sin batir y unirlas de a dos, intercalando una hoja de perejil. Freírlas en una sartén con poco aceite.

‣ Retirar los *rolls* del horno, desenvolverlos y cortarlos en rodajas. Presentar uno en cada plato, sobre un espejo con salsa. Acompañar con las papas.

SALMÓN A LA MENTA

INGREDIENTES

100 cc de vino blanco seco

50 cc de jugo de limón

2 cucharadas de menta picada

pimienta de molinillo

4 postas de salmón

sal

▸ En una fuente algo honda colocar el vino, el jugo de limón, la menta y pimienta a gusto. Mezclar bien, para obtener la marinada.

▸ Incorporar las postas de salmón y dejar reposar durante 20 minutos; dar vuelta el pescado cuando haya pasado la mitad del tiempo.

▸ Calentar una plancha bifera. Escurrir el salmón y apoyarlo sobre ella. Cocinar durante 3 minutos de cada lado. Retirar y salar a gusto.

▸ Servir de inmediato, con papas rejilla fritas espolvoreadas con menta picada, o con ensalada de palta y palmitos.

▸ Para variar, otro día reemplazar la menta por salvia y acompañar con ensalada de lentejas y tomates secos.

La vida no pasa por el envoltorio que es nuestro cuerpo, sino por lo que hay adentro.

SHOW DE TARTELETAS

INGREDIENTES

MASAS	
400 gramos de harina	1 cucharada de mostaza de Dijon
150 gramos de manteca	2 cucharadas de mayonesa
200 cc de crema de leche	50 gramos de jamón crudo
sal	tomates cherry
1 cucharada de queso rallado	perejil crespo
1 cucharada de semillas de amapola	50 gramos de salmón ahumado
1 cucharada de semillas de sésamo	1 frasco chico de caviar imitación
RELLENOS	ciboulette
400 gramos de queso crema	100 gramos de camarones
1 cucharadita de pimentón	almendras peladas y tostadas
	eneldo

MASAS

» Formar un granulado con la harina y la manteca. Unir con la crema.

» Separar la preparación en tres partes. Agregar a una de ellas el queso rallado, a otra las semillas de amapola y a la restante las semillas de sésamo.

» Dejar reposar en la heladera durante 2 horas.

» Estirar las masas, cortar discos con cortapastas y forrar moldes para tarteletas de 5 cm de diámetro. Hornear a temperatura moderada durante 10 minutos.

RELLENOS

» Dividir el queso crema en tres partes. Añadir a una el pimentón, a otra la mostaza y a la tercera la mayonesa.

» Colocar cada preparación en una manga con boquilla chica. Rellenar las tarteletas de queso con la mezcla de pimentón, las de amapola con la de mostaza y las de sésamo con la de mayonesa.

» Completar las de queso con jamón, tomates *cherry* y perejil crespo, las de amapola con salmón, caviar y *ciboulette* y las de sésamo con camarones, almendras y eneldo.

TERRINA DE LENTEJAS

INGREDIENTES

500 gramos de lentejas

1 zanahoria

1 rama de apio

1 puerro o 1 cebolla

aceite de oliva

1 *échalote*

sal

pimienta

200 gramos de salmón

1/2 copa de vino blanco

2 sobres de gelatina sin sabor

repollo, *radichio* y escarola fina

mostaza de Dijon

perejil crespo

▶ Hervir las lentejas en agua con la zanahoria, el apio y el puerro o la cebolla.

▶ Escurrirlas y reservar 1 taza grande del líquido de la cocción.

▶ Saltear las lentejas en una sartén con aceite de oliva, junto con la *échalote* finamente picada. Salpimentar y retirar.

▶ Cortar el salmón en láminas. Sellarlo en otra sartén con aceite de oliva. Verter el vino, salpimentar y cocinar brevemente.

▶ Disolver la gelatina en el líquido que se había reservado. Agregarla a las lentejas.

▶ Forrar con film un molde para terrina. Colocar capas de lentejas, alternando con láminas de salmón.

▶ Llevar a la heladera por lo menos 4 horas, hasta que la gelatina solidifique.

▶ Retirar, desmoldar y cortar en tajadas.

▶ Presentar con hojas de repollo, *radichio* y escarola fina, aliñadas con sal, pimienta, mostaza, aceite de oliva y perejil crespo picado.

TOMATES GLASEADOS

INGREDIENTES

8 tomates medianos y parejos, maduros pero firmes	1 cebolla
sal	200 gramos de salmón ahumado
pimienta	1 cucharada de coñac
1 cucharada de azúcar	200 gramos de arvejas congeladas
tomillo	2 cucharadas de mayonesa
2 dientes de ajo	SALSA
aceite de oliva	2 cucharadas de crema de leche
RELLENO	4 cucharadas de aceite de oliva
1 puerro	2 cucharadas de jugo de naranja
	albahaca

▶ Sumergir los tomates en agua hirviente durante 30 segundos. Escurrirlos y pelarlos. Cortarles un sombrero de 1/3 de su altura. Ahuecarlos delicadamente. Acomodarlos sobre una placa forrada con silpat. Salpimentarlos y espolvorearlos con azúcar, tomillo y ajo picado. Rociarlos con aceite.
Cocinarlos en el horno a 120ºC durante 1 hora. Retirarlos y dejarlos enfriar.
Rellenarlos y presentarlos sobre un espejo de salsa.

RELLENO
Picar el puerro y la cebolla. Rehogarlos en aceite de oliva. Agregar el salmón cortado en juliana y el coñac.
Fuera del fuego incorporar las arvejas blanqueadas y la mayonesa. Mezclar y utilizar.

SALSA
Combinar la crema con el aceite, el jugo de naranja y la albahaca picada.
Salpimentar.

TORTA SALADA DEL OLIMPO

INGREDIENTES

1 cebolla chica
50 gramos de manteca
500 gramos de arroz
1 litro de caldo de verduras
1 cápsula de azafrán
100 gramos de queso parmesano
2 cucharadas de mayonesa
sal
pimienta
250 gramos de jamón cocido
50 gramos de aceitunas verdes
3 huevos duros
1 lata de palmitos

▶ Picar la cebolla. Rehogarla en la manteca hasta que resulte transparente. Incorporar el arroz y revolver. Verter el caldo caliente e incorporar el azafrán. Cocinar a fuego moderado hasta que el arroz esté a punto.

▶ Retirar y agregar el queso parmesano rallado y la mayonesa. Condimentar a gusto con sal y pimienta. Dejar enfriar.

▶ Disponer la mitad de la preparación en una tortera enmantecada. Colocar encima el jamón picado grueso, las aceitunas cortadas en láminas, los huevos duros picados y los palmitos en rodajas. Cubrir con el resto del arroz y presionar con el revés de una cuchara.

▶ Enfriar muy bien en la heladera antes de desmoldar.

Cake de brócoli (pág. 12)

Flan de duraznos *(pág. 37)*

Tarta de puerros y roquefort (*pág.* 87)

Torta Angelo *(pág. 107)*

Milhojas crocantes de parmesano y camarones *(pág. 157)*

ZAPALLO RELLENO

INGREDIENTES

1 zapallo de aproximadamente 5 kilos

sal

pimienta

aceite

1 kilo de cebollas

1 kilo de nalga

100 gramos de manteca

1 cucharadita de pimentón

2 cucharadas de harina

1 vaso de vino tinto

1/2 litro de caldo de carne

500 gramos de choclo en granos congelado

200 gramos de champiñones

50 cc de crema de leche

1 yema

▶ Precalentar el horno a 160ºC.

▶ Cortar la parte superior del zapallo, para lograr un recipiente con tapa. Si se desea, tallar picos y ondas en el borde. Descartar las semillas con ayuda de una cuchara.

▶ Condimentar el interior del zapallo con sal y pimienta. Rociarlo con aceite.

▶ Tapar con papel de aluminio y hornear durante 1 hora.

▶ Mientras tanto picar las cebollas y cortar la carne en cubos de 2 cm de lado.

▶ Rehogar ambos ingredientes en una cacerola con la manteca. Sazonar con sal, pimienta y el pimentón. Cuando todo esté bien dorado, espolvorear con la harina y verter el vino. Revolver y dejar que se evapore el alcohol. Incorporar el caldo y cocinar durante 1 y 1/2 hora a fuego lento. Agregar el choclo y los champiñones.

▶ Colocar la preparación dentro del zapallo cocido. Cubrir con la crema previamente batida junto con la yema.

▶ Llevar nuevamente al horno y gratinar durante 10 minutos.

▶ Servir cada porción de relleno junto con un poco de pulpa del zapallo.

Amaretti o Macarons

INGREDIENTES

1 taza de almendras

1 taza de azúcar

2 claras

» Procesar las almendras junto con el azúcar. Incorporar las claras y volver a procesar.

» Colocar la mezcla en una manga con boquilla lisa y hacer copitos sobre una placa forrada con papel manteca enmantecado.

» Cocinar en horno precalentado a 160°C durante 20 minutos. Dejar enfriar en el papel.

» Aunque habitualmente identificamos estas masitas por su nombre italiano (*amaretti*), en algunas recetas —como la de la página 75— resulta más apropiado usar la denominación francesa (*macarons*).

Naranjas Confitadas

INGREDIENTES

cáscaras de 1 kilo de naranjas

600 gramos de azúcar

1 litro de agua

» Blanquear las cáscaras de las naranjas dándoles un hervor de 3 minutos y pasándolas enseguida por agua fría. Escurrirlas y reservarlas.

» Hacer un almíbar con el azúcar y el agua. Dejar que hierva durante 1 minuto.

» Sumergir las cáscaras en el almíbar caliente, fuera del fuego. Dejarlas reposar durante 24 horas. Escurrirlas, colocarlas sobre una rejilla y dejarlas orear durante 24 horas.

» Volver a calentar el almíbar y repetir el paso anterior 6 veces más.

» Cortar las cáscaras confitadas en pequeños bastones. Servirlas con el café o utilizarlas para decorar postres.

CHARLOTTE DE MANZANAS CON CHIPS DE MANZANAS

INGREDIENTES

CHIPS	
1/2 taza de azúcar	1 cucharada de manteca
1 taza de agua	4 claras
2 manzanas	1 taza de crema de leche
CHARLOTTE	1 sobre de gelatina sin sabor
3 manzanas	1 copita de calvados
3 cucharadas + 1 taza de azúcar	1 pionono

CHIPS

▶ Hacer un almíbar con el azúcar y el agua.

▶ Cortar las manzanas en rodajas muy finas. Sumergirlas en el almíbar caliente, fuera del fuego. Dejarlas reposar durante 15 minutos.

▶ Escurrirlas y apoyarlas sobre una placa forrada con silpat. Hornear a 100°C durante 1 hora y 30 minutos.

CHARLOTTE

▶ Trozar 2 manzanas. Colocarlas en una cacerola, añadir 2 cucharadas de azúcar y cubrir apenas con agua. Cocinar hasta obtener una compota. Dejar enfriar.

▶ Cortar en cubos pequeños la otra manzana. Saltearla con la manteca y 1 cucharada de azúcar.

▶ Batir las claras con el resto del azúcar. Unir con la compota, la crema batida a medio punto, la gelatina disuelta en el calvados y la manzana salteada.

▶ Cortar el pionono en pequeños rombos. Tapizar con ellos una tortera desmontable. Volcar dentro la preparación. Llevar a la heladera durante 2 horas.

▶ Desmoldar y decorar con los chips de manzanas.

FINANCIER AL CHOCOLATE BLANCO

INGREDIENTES

FINANCIER	CREMA DE CHOCOLATE BLANCO
90 gramos de manteca	200 gramos de chocolate blanco
50 gramos de harina	100 cc de crema de leche
130 gramos de azúcar	15 gramos de manteca
50 gramos de almendras molidas	1 cucharada de licor de naranjas
4 claras	ADEMÁS
	100 gramos de frambuesas
	50 gramos de almendras peladas, fileteadas y tostadas

FINANCIER

▶ Precalentar el horno a 180ºC.

▶ Calentar la manteca en una sartén hasta alcanzar el punto *noisette* (avellana); se llega a él cuando la manteca fundida adquiere color rubio y aroma a avellana. Reservar.

▶ Tamizar la harina con el azúcar y las almendras molidas.

▶ Agregar las claras a los ingredientes secos. Mezclar hasta homogeneizar.

▶ Incorporar la manteca *noisette*. Unir bien.

▶ Colocar la pasta obtenida en un molde enmantecado. Hornear durante 20 minutos.

▶ Retirar, desmoldar y dejar enfriar.

CREMA DE CHOCOLATE BLANCO

▶ Cortar el chocolate en trozos pequeños. Calentar la crema e incorporarla. Mezclar vigorosamente hasta que el chocolate se funda. Incorporar la manteca derretida y el licor de naranjas.

ARMADO

▶ Colocar la crema de chocolate en una manga con boquilla lisa. Formar ondas en el contorno del *financier*. Colocar en el centro las frambuesas y las almendras.

FRESCURA DE MENTA MOLDEADA

INGREDIENTES

3 sobres de gelatina sin sabor

100 cc de licor de menta

400 cc de leche

250 gramos de azúcar

500 gramos de queso crema

250 cc de crema de leche

gotas de colorante verde (opcional)

DECORACIÓN

250 cc de crema de leche

2 cucharadas de azúcar

hielo granizado

▸ Hidratar la gelatina con el licor. Hervir la leche y verterla lentamente sobre la gelatina, mientras se revuelve. Agregar el azúcar, mezclando continuamente. Dejar entibiar.

▸ Disponer en un bol amplio el queso crema a temperatura ambiente. Añadir la preparación anterior e integrar bien.

▸ Batir la crema a 3/4 de punto e incorporarla con suavidad. Si se desea, teñir con colorante verde.

▸ Dejar reposar hasta que comience a tomar cuerpo. Colocar en un molde savarin ligeramente humedecido. Llevar a la heladera (no al freezer) hasta que esté firme.

▸ Invertir el molde sobre una fuente redonda, cubrirlo con un repasador mojado con agua caliente y esperar unos instantes antes de desmoldar.

DECORACIÓN

▸ Batir la crema a punto chantillí con el azúcar. Ponerla en una manga y hacer copetes alrededor del moldeado. Ubicar en el centro una copa llena de hielo granizado, preparado con agua enriquecida con licor de menta.

MASAS DE COCO Y ANANÁ

INGREDIENTES

4 claras

280 gramos de azúcar

350 gramos de coco rallado

1 rodaja de ananá en compota

PRESENTACIÓN

300 gramos de azúcar

3 cucharadas de agua

gotas de jugo de limón

1 ananá

▶ Batir las claras con el azúcar a baño de María hasta lograr un merengue que forme picos firmes. Retirar del baño.

▶ Agregar el coco y el ananá en compota triturado. Batir durante unos instantes más.

▶ Colocar la preparación en una manga con boquilla lisa. Formar conos pequeños sobre una placa forrada con silpat o papel siliconado. Pellizcar la punta con los dedos.

▶ Hornear a temperatura moderada de 15 a 20 minutos. Retirar y dejar enfriar.

PRESENTACIÓN

▶ Hacer un caramelo con el azúcar, el agua y el jugo de limón.

▶ Utilizar un molde desmontable en forma de flor. Quitar la base y reemplazarla por papel de aluminio enmantecado. Verter dentro el caramelo. Esperar 20 minutos, hasta que el caramelo solidifique y forme un espejo. Desmoldarlo y desprenderlo del papel.

▶ Ubicar el ananá en posición vertical. Hacer un corte horizontal a 7 cm del penacho. Retirar la parte superior.

▶ Apoyar el espejo de caramelo sobre la parte inferior (sin penacho) del ananá. Volver a colocar la parte de arriba.

▶ Disponer las masas sobre el espejo de caramelo.

MAZAPANES

INGREDIENTES

125 gramos de almendras peladas

125 gramos de azúcar

esencia de vainilla

ralladura de 1 limón

1 cucharadita de agua de azahar

2 cucharadas de agua

30 gramos de azúcar impalpable

▸ Procesar las almendras junto con el azúcar, la vainilla, la ralladura de limón y el agua de azahar. Agregar el agua fría y seguir procesando hasta obtener una pasta homogénea.

▸ Pasarla a un bol. Llevar sobre fuego mínimo y revolver con cuchara de madera durante 2 minutos. Retirar.

▸ Trabajar la pasta con las manos mientras se incorpora el azúcar impalpable.

▸ Estirarla hasta dejarla de 2 cm de espesor. Cortar piezas redondas y cuadradas con distintos cortapastas.

▸ Acomodar los mazapanes sobre una placa forrada con silpat o papel siliconado enmantecado. Secarlos en el horno a 50ºC durante 1 hora.

▸ Si se prefiere, hacer un glasé con 1/2 clara, 150 gramos de azúcar impalpable y 3 gotas de jugo de limón y bañar los mazapanes antes de hornearlos.

> En una fiesta ponga en práctica el método de contar hasta veinte antes de abalanzarse sobre la mesa dulce. Si no da resultado, cuente hasta cincuenta.

PERAS LAQUEADAS AL CHOCOLATE

INGREDIENTES

1 botella de vino tinto
2 tazas de azúcar
canela molida
hebras de la corteza de 1 naranja
6 peras
6 bizcochos dulces
50 gramos de avellanas
250 gramos de chocolate
150 cc de crema de leche
80 gramos de manteca
1 sobre de gelatina sin sabor

▶ Colocar en una cacerola el vino, el azúcar, la canela y las hebras de naranja. Llevar a ebullición.

▶ Pelar las peras y, sin partirlas, quitarles los centros con ayuda de un descorazonador. Incorporarlas a la cacerola y cocinarlas durante pocos minutos; deben quedar firmes. Escurrirlas y reservar el almíbar de vino. Dejarlas enfriar.

▶ Triturar los bizcochos y las avellanas. Derretir 60 gramos de chocolate. Unir los tres ingredientes para formar una pasta.

▶ Con ayuda de una cucharita colocar una pequeña porción de la pasta de avellanas en el hueco de cada pera.

▶ Fundir el resto del chocolate junto con la crema y la manteca, para obtener una *ganache*. Añadirle la gelatina hidratada con 1 cucharada de agua y unir perfectamente. Dejar enfriar hasta que comience a espesar. Cubrir las peras.

▶ Enfriarlas muy bien en la heladera.

▶ Presentarlas sobre un espejo de almíbar de vino salpicado con avellanas en trozos.

POSTRE AÑOS LOCOS

INGREDIENTES

18 vainillas

1 lata de duraznos o peras

licor de frutas a elección

1 kilo de dulce de leche

100 gramos de amaretti (pág. 66)

50 g de nueces

200 cc de crema de leche

2 cucharadas de azúcar impalpable

cerezas al natural

▶ Armar la torta directamente en la fuente de presentación.

▶ Colocar 6 vainillas, formando un cuadrado. Rociarlas con el almíbar de los duraznos o peras mezclado con un poco de licor. Untar generosamente con dulce de leche. Disponer encima la mitad de los duraznos o peras en tajadas. Esparcir una parte de los *amaretti* triturados con las manos. Repetir las capas de vainillas, dulce, frutas y *amaretti*. Terminar con vainillas humedecidas y nueces picadas.

▶ Batir la crema con el azúcar impalpable y unas gotas de licor hasta que tome punto chantillí. Ponerla en una manga con boquilla rizada y decorar alrededor de la base del postre. Completar con cerezas escurridas.

▶ Mantener el postre en la heladera hasta servir.

Las cerezas son de gran ayuda para los que mueren por los dulces. Una taza llena calma la ansiedad al instante y aporta sólo 52 calorías.

TERRINA RAYADA DE NARANJAS Y CHOCOLATE

INGREDIENTES

PREPARACIÓN DE NARANJAS	PREPARACIÓN DE CHOCOLATE
6 yemas	6 huevos
2 tazas de azúcar	130 gramos de azúcar
jugo y ralladura de 2 kilos de naranjas	200 gramos de chocolate
2 sobres de gelatina sin sabor	100 gramos de manteca
1 copita de licor de naranjas	
1 copita de agua	
200 cc de crema de leche	

PREPARACIÓN DE NARANJAS

» Batir las yemas con el azúcar hasta alcanzar un punto espeso y cremoso.

» Llevar a baño de María. Agregar el jugo y la ralladura de las naranjas. Revolver hasta que espese, cuidando que no llegue a hervir.

» Hidratar la gelatina en el licor de naranjas mezclado con el agua. Calentar hasta que se disuelva. Reservar la mitad y añadir el resto a la preparación anterior.

» Incorporar la crema batida y unir con suavidad.

» Tapizar con film un molde para terrina. Verter la mitad de la mezcla y llevar al freezer durante 15 minutos. Mantener la otra mitad fuera de la heladera.

PREPARACIÓN DE CHOCOLATE

» Batir los huevos con el azúcar hasta que tomen punto cinta. Incorporar el chocolate y la manteca derretidos. Añadir la gelatina que se había reservado.

» Colocar la mitad de la preparación en el molde, sobre la de naranjas. Llevar al freezer durante 15 minutos.

» Repetir el paso anterior, alternando los colores, hasta terminar.

» Mantener en el freezer durante 2 horas.

» Desmoldar y decorar con viruta de chocolate y naranjas confitadas (pág. 66).

TORTA BIEN FRANCESA

INGREDIENTES

50 gramos de azúcar	CUBIERTA
50 cc de agua	100 gramos de chocolate
50 cc de coñac	80 gramos de azúcar impalpable
250 gramos de macarons (pág. 66)	40 gramos de manteca
MOUSSE	3 cucharadas de agua
250 gramos de chocolate	
150 gramos de manteca	
4 yemas	
6 claras	
40 gramos de azúcar	

▶ Preparar un almíbar con el azúcar y el agua. Aromatizarlo con el coñac. Embeber los *macarons* con ayuda de un pincel.

MOUSSE

▶ Derretir el chocolate a baño de María. Retirar del calor, agregar la manteca y batir hasta obtener una preparación consistente. Dejar enfriar. Unir con las yemas. Batir las claras a nieve con el azúcar e incorporarlas.

▶ Volcar en un molde enmantecado. Disponer encima los *macarons* (guardar algunos para decorar). Refrigerar en heladera durante 4 horas. Pasar rápidamente el molde por agua caliente y desmoldar la torta. Reservar en la heladera.

CUBIERTA

▶ Fundir el chocolate a baño de María. Agregar el azúcar impalpable y la manteca en trocitos. Retirar del baño, verter el agua e integrar todo.

▶ Colocar la torta sobre una rejilla y bañarla con la cubierta. Adherir alrededor los *macarons* que se habían guardado, partidos por la mitad.

TORTA CON MERMELADA

INGREDIENTES

250 gramos de manteca

300 gramos de azúcar

180 gramos de almendras molidas

6 huevos

80 gramos de harina

1 frasco de mermelada de damascos

200 gramos de azúcar impalpable

▸ En un bol mezclar la manteca blanda con el azúcar.

▸ Añadir las almendras molidas e integrarlas.

▸ Incorporar los huevos ligeramente batidos.

▸ Agregar la harina y mezclar con rapidez.

▸ Enmantecar y enharinar un molde de 24 cm de diámetro. Verter en él la preparación.

▸ Cocinar durante 45 minutos en el horno a 180ºC. Retirar, desmoldar y dejar enfriar.

▸ Cortar la torta en 2 discos. Untar uno de ellos con parte de la mermelada, superponer el otro disco y untar con la mermelada restante (reservar 1 cucharada).

▸ Mezclar el azúcar impalpable con la mermelada que se reservó. Cubrir toda la torta, con ayuda de una espátula.

▸ Si se desea variar la presentación, rellenar la torta con 2/3 de la mermelada. Calentar el resto y añadirle 1/2 sobre de gelatina sin sabor hidratada con 1 cucharada de agua y disuelta sobre el fuego. Extender sobre la superficie de la torta, para lograr un espejo.

▸ Llevar a la heladera hasta el momento de servir.

TORTA DE CAFÉ

INGREDIENTES

6 huevos	CREMA DE CAFÉ
225 gramos de azúcar	250 gramos de azúcar
1 taza de harina leudante	60 cc de agua
1 cucharadita de café instantáneo	2 huevos
ralladura de 1 limón	300 gramos de manteca
1 cucharada de manteca	1 cucharadita de café instantáneo
	ADEMÁS
	1 pocillo de almíbar liviano
	1 copita de licor crema de whisky

▸ Batir los huevos a punto cinta con el azúcar.

▸ Agregar en forma envolvente la harina cernida con el café. Perfumar con la ralladura de limón. Incorporar la manteca derretida.

▸ Colocar la preparación en un molde de 24 cm de diámetro, enmantecado y enharinado.

▸ Cocinar durante aproximadamente 30 minutos en horno de temperatura moderada. Retirar, dejar enfriar y desmoldar.

CREMA DE CAFÉ

▸ Con el azúcar y el agua hacer un almíbar a punto bolita.

▸ Batir los huevos, incorporar gradualmente el almíbar y seguir batiendo hasta que la preparación se enfríe.

▸ Unir con la manteca blanda y el café.

ARMADO

▸ Ahuecar cuidadosamente la torta. Desmenuzar la miga extraída y humedecerla con el almíbar mezclado con el licor. Unir con la mitad de la crema de café. Rellenar el hueco.

▸ Colocar la crema restante en una manga con boquilla rizada y decorar el contorno. Mantener en la heladera hasta el momento de presentar.

TORTA PARA FESTEJAR

INGREDIENTES

1 pionono grande
3 discos de merengue
500 gramos de frutillas
250 gramos de castañas en almíbar
1 litro de crema de leche
1 taza de azúcar
1 copita de licor crema de cassis
MERENGUE ITALIANO
1 kilo de azúcar
225 cc de agua
500 gramos de claras

▶ Dividir el pionono en 3 rectángulos. Romper los discos de merengue. Filetear las frutillas. Cortar las castañas en trozos pequeños.

▶ Batir la crema con el azúcar. Incorporar el merengue roto. Separar la preparación en dos partes. Añadir a una las frutillas y a la otra las castañas.

▶ Utilizar un rectángulo de pionono como base. Extender la crema con frutillas. Colocar otro rectángulo de pionono, rociarlo con el licor y cubrir con la preparación de castañas. Ubicar arriba el tercer rectángulo de pionono.

MERENGUE ITALIANO

▶ Hacer un almíbar con 750 gramos de azúcar y el agua. Cuando empiece a hervir, batir las claras con el azúcar restante. Cuando el almíbar tome punto de bolita dura, verterlo despacio sobre las claras y seguir batiendo hasta enfriar.

▶ Decorar la torta con el merengue italiano, extendiéndolo en forma irregular con una espátula.

▶ Esta torta rinde 25 porciones.

CIEN VECES NO DEBO

DELEITES PROHIBIDOS

FRICASSÉ DE POLLO

INGREDIENTES

2 puerros
2 pechugas de pollo deshuesadas, sin piel
2 cucharadas de manteca
sal
pimienta
1/2 vaso de vino blanco
1 taza de crema de leche
2 cucharadas de pasas de uva sin semillas
12 *crêpes*
2 cucharadas de almendras peladas,
fileteadas y tostadas

▸ Picar los puerros. Cortar las pechugas en dados pequeños.

▸ Calentar la manteca en una sartén. Incorporar los puerros y rehogarlos. Añadir las pechugas y dorarlas. Salpimentar. Verter el vino, revolver y dejar que se evapore el alcohol. Agregar la crema y cocinar durante 5 minutos. Adicionar las pasas de uva.

▸ Retirar el *fricassé* con una espumadera.

▸ Cortar las *crêpes* en cintas y calentarlas en la misma sartén, con la salsa de la cocción anterior.

▸ Presentar en una fuente o directamente en los platos. Colocar en el centro las cintas de *crêpes* y alrededor el *fricassé*. Espolvorear con las almendras y servir.

HUEVOS POCHÉ SOBRE POLENTA

INGREDIENTES

600 cc de agua
80 gramos de manteca
1 cucharadita de sal
250 gramos de harina de maíz de cocción rápida
1 hinojo
granos de pimienta verde, blanca y negra
200 cc de crema de leche
1 cucharadita de mostaza de Dijon
2 cucharadas de vinagre de alcohol
1 cucharada de sal gruesa
4 huevos muy frescos

▪ Colocar en una cacerola 600 cc de agua, 50 gramos de manteca y la sal. Llevar a hervor. Echar la harina de maíz en forma de lluvia, mientras se revuelve continuamente con espátula. Cocinar durante 5 minutos. Agregar el hinojo finamente picado.

▪ Pasar la polenta a una placa. Alisar para obtener un espesor parejo de 1,5 cm. Reservar en la heladera.

▪ Aplastar las pimientas con la hoja del cuchillo. Ponerlas en una cacerolita. Añadir la crema y dejar reducir durante 5 minutos. Incorporar la mostaza, retirar y reservar.

▪ Cortar 4 discos de polenta con cortapastas de 10 cm de diámetro. Dorarlos durante 5 minutos de cada lado en una sartén con la manteca restante.

▪ En una cacerola de buen diámetro y baja hervir 1 litro de agua junto con el vinagre y la sal gruesa. Cascar cada huevo en una taza y deslizarlos con suavidad en el agua hirviente. Cocinar durante 3 minutos. Retirar los huevos con espumadera y escurrirlos bien.

▪ Servir un huevo poché sobre cada disco de polenta. Salsear alrededor con la salsa de crema, pimienta y mostaza.

MOUSSE DE ROQUEFORT

INGREDIENTES

400 gramos de queso roquefort

3 cucharadas de vino blanco seco

750 cc de crema de leche

1 sobre de gelatina sin sabor

1/3 de taza de agua

sal

pimienta

▶ Trozar el queso roquefort. Colocarlo en la procesadora junto con el vino y la mitad de la crema de leche. Procesar hasta obtener una pasta homogénea.

▶ Hidratar la gelatina con el agua fría y calentar a baño de María hasta que se disuelva.

▶ Pasar la mezcla de queso a un bol. Añadir la gelatina y revolver para integrar muy bien. Dejar enfriar.

▶ Batir el resto de la crema a punto semiespeso. Agregarla con movimientos suaves. Condimentar a gusto con sal y pimienta

▶ Humedecer con agua el interior de una budinera. Llenar con la preparación y enfriar en la heladera por lo menos 3 horas.

▶ Desmoldar sobre una fuente. Servir con ensalada, uvas, tostadas y galletitas.

Coma únicamente de su plato; no picotee en los de los otros comensales.

OSSOBUCO A LA NARANJA

INGREDIENTES

8 rodajas de *ossobuco*
sal
pimienta
2 cucharadas de harina
2 cucharadas de aceite
2 cebollas
jugo y ralladura de 2 naranjas
1 vaso de vino
1/2 litro de caldo
nuez moscada
1 kilo de batatas
2 cucharadas de manteca
2 cucharadas de azúcar

▶ Salpimentar las rodajas de *ossobuco*, pasarlas apenas por la harina y eliminar el excedente.

▶ Calentar el aceite en una cacerola. Incorporar el *ossobuco* y sellarlo de ambos lados.

▶ Añadir las cebollas picadas y rehogarlas.

▶ Verter el jugo de naranja, el vino y el caldo. Cocinar durante 1 y 1/2 hora.

▶ A último momento perfumar con la nuez moscada y la ralladura de naranja.

▶ Pelar las batatas, cortarlas en cubos y cocinarlas al vapor. Glasearlas en una sartén con la manteca y el azúcar.

▶ Servir el *ossobuco* con su salsa y la guarnición de batatas.

PAN RELLENO CON HONGOS

INGREDIENTES

25 gramos de levadura

200 cc de agua

1/2 cucharada de azúcar

500 gramos de harina

1/2 cucharada de sal

150 cc de aceite de oliva

50 gramos de hongos secos

3 puerros

50 gramos de manteca

1 copa de vino tinto

50 cc de crema de leche

200 gramos de queso parmesano

▸ Disolver la levadura en la mitad del agua tibia, junto con el azúcar y 2 cucharadas de harina.

▸ Tamizar la harina restante con la sal y formar una corona. Colocar en el centro la preparación de levadura, el resto del agua tibia y el aceite. Unir y amasar hasta lograr un bollo homogéneo. Dejarlo leudar.

▸ Volver a amasar y formar el pan. Dejarlo leudar nuevamente.

▸ Apoyarlo sobre una placa y cocinarlo en el horno precalentado a temperatura alta durante 35 minutos.

▸ Lavar los hongos. Remojarlos en agua tibia durante 1/2 hora. Escurrirlos y picarlos.

▸ Picar los puerros y rehogarlos en la manteca. Añadir los hongos. Verter el vino, dejar reducir y retirar. Incorporar la crema y el queso rallado.

▸ Ahuecar el pan, rellenarlo con la preparación de hongos y hornear apenas unos minutos.

PAPAS RELLENAS CON ESPUMA DE QUESO

INGREDIENTES

6 papas
1 paquete de sal gruesa
100 gramos de queso fontina picante
1 cucharada de manteca
2 cucharadas de harina
1 taza de leche
4 yemas
4 claras
12 lonjas de panceta ahumada

» Lavar las papas, sin pelarlas. Acomodarlas dentro de una asadera, sobre un lecho de sal gruesa. Cocinarlas en el horno durante 35 minutos.

» Mientras tanto, rallar el queso con el lado grueso del rallador.

» Colocar la mitad en una cacerola, junto con la manteca. Llevar al fuego y revolver en forma de ocho hasta que se funda. Incorporar la harina y unir. Verter poco a poco la leche hirviente, mientras se bate hasta lograr una textura homogénea. Retirar.

» Agregar las yemas de a una, batiendo cada vez. Adicionar el resto del queso e integrarlo.

» Batir las claras a nieve y añadirlas con suavidad.

» Retirar las papas del horno y ahuecarlas. Envolver cada una con 2 lonjas de panceta. Sujetar con hilo.

» Rellenar las papas con la espuma de queso. Ubicarlas en una fuente térmica. Volver al horno hasta dorar.

TARTA DE PUERROS Y ROQUEFORT

INGREDIENTES

MASA	RELLENO
250 gramos de harina	500 gramos de puerros
1 pizca de sal	manteca para rehogar
125 gramos de manteca	300 gramos de queso roquefort
150 cc de agua fría	200 cc de leche
	8 huevos
	pimienta
	nuez moscada

MASA

▶ Tamizar la harina con la sal. Procesarla junto con la manteca para obtener un granulado. Añadir el agua y seguir procesando hasta que se forme un bollo. Dejarlo reposar por lo menos 1 hora.

RELLENO

▶ Cortar los puerros en juliana. Rehogarlos en manteca. Retirarlos y dejarlos enfriar.

▶ Cortar el queso roquefort en triángulos.

▶ En un bol mezclar la leche con los huevos, la pimienta y la nuez moscada. Reservar.

ARMADO

▶ Estirar la masa y forrar con ella una tartera más bien honda. Colocar sobre la masa los puerros, el roquefort y finalmente la mezcla de leche y huevos. Hornear durante 30 minutos.

▶ Retirar y cubrir con rizos de puerros. Para obtenerlos, cortar un puerro en tiras muy finas, con la punta de un cuchillo filoso. Sumergirlas en agua helada durante 1 hora y escurrirlas muy bien.

TORTILLA DE BATATAS AGRIDULCE

INGREDIENTES

150 gramos de manteca
600 gramos de batatas
1 cucharada de almidón de maíz
sal
pimienta
4 higos secos

▶ Para clarificar la manteca, derretirla a fuego mínimo, cuidando que no hierva, hasta que se vuelva traslúcida y se deposite un sedimento en el fondo. Retirar del fuego y, con ayuda de una cuchara, recuperar la parte traslúcida. Reservar 1 cucharada. Desechar el sedimento.

▶ Pelar las batatas y cortarlas en juliana. Pasarlas por el resto de la manteca clarificada y luego por el almidón. Salpimentarlas.

▶ Cortar cada higo en 6 gajos.

▶ Pincelar una sartén antiadherente con la manteca clarificada que se había reservado. Ubicar la mitad de las batatas, colocar los higos y cubrir con el resto de las batatas.

▶ Cocinar a fuego mínimo durante 10 minutos de cada lado.

Los optimistas viven más años que los pesimistas.

BANANAS VESTIDAS

INGREDIENTES

250 gramos de harina

1 pizca de sal

2 cucharadas de aceite

2 yemas

1 vaso de sidra

1 vaso de leche

2 claras

5 bananas

100 gramos de azúcar

1 copita de coñac

aceite de girasol para freír

▶ Mezclar en un bol la harina tamizada, la sal y el aceite. Añadir poco a poco las yemas, la sidra y la leche. Integrar bien todo.

▶ Dejar reposar por lo menos 2 horas. En el momento de utilizar, incorporar las claras batidas a nieve.

▶ Pelar las bananas y cortarlas por el medio a lo largo. Macerarlas con el azúcar y el coñac durante 20 minutos.

▶ Pasar las bananas por la pasta, cuidando que queden bien cubiertas.

▶ Freírlas en aceite caliente (170ºC) hasta que resulten doradas.

▶ Escurrirlas sobre papel absorbente.

▶ Espolvorearlos con azúcar impalpable. Si se desea, grillarlas para acaramelarlas.

BOMBONES DOS SABORES

INGREDIENTES

GANACHE	GIANDUIA
100 gramos de chocolate cobertura	150 gramos de avellanas
100 cc de crema de leche	150 gramos de almendras
70 gramos de manteca	300 gramos de azúcar impalpable
	80 gramos de leche en polvo
	500 gramos de chocolate cobertura
	80 gramos de manteca

GANACHE

▸ Fundir el chocolate junto con la crema y la manteca.

GIANDUIA

▸ Tostar las frutas secas. Procesarlas con el azúcar impalpable y la leche en polvo.

▸ Fundir el chocolate junto con la manteca y añadirlo a la mezcla procesada.

ARMADO

▸ Dejar enfriar las dos preparaciones hasta que comiencen a espesar.

▸ Colocar un tercio de la *gianduia* en una manga con boquilla rizada. Formar bombones sobre papel de aluminio o siliconado.

▸ Con otro tercio de la *gianduia* llenar moldes para bombones. Hacer lo mismo con la mitad de la *ganache*.

▸ Extender el resto de la *gianduia* sobre una placa. Cubrir con el resto de la *ganache*. Esperar que ambas capas tomen cuerpo y, antes de que solidifiquen por completo, cortar bombones cuadrados.

▸ Llevar todos los bombones a la heladera hasta que se endurezcan. Desprenderlos del papel, sacarlos de los moldes o retirarlos de la placa. Presentarlos en pirotines.

BROWNIES A LA CANELA

INGREDIENTES

300 gramos de chocolate

240 gramos de manteca

8 yemas

180 gramos de azúcar impalpable

20 gramos de cacao amargo

100 gramos de almendras molidas

50 gramos de almendras picadas

50 gramos de harina

2 cucharadas de canela molida

8 claras

almendras peladas, fileteadas

y tostadas para decorar

▶ Fundir a baño de María el chocolate trozado y la manteca.

▶ Batir las yemas con el azúcar impalpable.

▶ Agregar el cacao, las almendras molidas, las almendras picadas, la harina, la canela, el chocolate y la manteca derretidos, mientras se mezcla en forma envolvente.

▶ Batir las claras a nieve e incorporarlas delicadamente.

▶ Verter la preparación en un molde cuadrado de 20 cm de lado, enmantecado.

▶ Hornear durante 15 minutos a 200ºC y 20 minutos más a 160ºC.

▶ Retirar, dejar entibiar y cortar en cuadrados. Decorar con almendras.

Instale en la heladera un botiquín para emergencias: un recipiente con divisiones, que en cada una contenga un alimento permitido. Recurrir a él oportunamente ahorra muchos disgustos.

BUDÍN CUATRO ESTACIONES

INGREDIENTES

100 gramos de pasas de uva sin semillas

ron

250 gramos de azúcar

500 gramos de ricota

4 huevos

2 cucharadas de almidón de maíz

1 lata de leche condensada

2 cucharaditas de esencia de vainilla

▶ Remojar las pasas en el ron.

▶ Fundir el azúcar hasta lograr un caramelo de color dorado claro. Verterlo dentro de una budinera y hacerlo correr para que cubra todo el interior. Reservar.

▶ En un bol combinar la ricota con los huevos y el almidón de maíz. Incorporar poco a poco la leche condensada, mientras se bate con batidora eléctrica hasta que la mezcla resulte homogénea y sin grumos. Añadir las pasas de uva escurridas y distribuirlas en forma pareja. Perfumar con esencia de vainilla y unir suavemente.

▶ Pasar la preparación al molde acaramelado.

▶ Cocinar en horno moderado, a baño de María, durante aproximadamente 50 minutos. Pinchar el centro con un palillo y observar que salga limpio para comprobar el punto. Retirar, dejar enfriar y desmoldar.

No hay decisiones buenas ni malas. Todas pueden ser oportunidades para aprender algo sobre nosotros mismos.

BUDÍN DE CIRUELAS Y DAMASCOS

INGREDIENTES

3 rebanadas de pan lácteo
250 cc de leche
150 gramos de ciruelas pasa
150 gramos de damascos secos
500 cc de vino generoso
500 gramos de azúcar
5 huevos
250 cc de crema de leche
ralladura de 1 limón

▸ Remojar el pan en la leche.

▸ Cortar en trozos parejos las ciruelas y los damascos.

▸ Preparar un almíbar con el vino y el azúcar. Cuando comience a hervir, incorporar las frutas. Seguir cocinando hasta que tome punto hilo. Retirar del fuego y reservar.

▸ Mezclar los huevos con la crema. Agregar el pan remojado y la ralladura de limón. Añadir las frutas y la mitad del almíbar.

▸ Colocar la mezcla en una budinera enmantecada. Hornear a baño de María durante 1 hora.

▸ Si se desea hacer en microondas, utilizar una budinera de vidrio templado. Cocinar 8 minutos al 50% y 15 minutos más al 70%.

▸ Retirar y dejar entibiar antes de desmoldar. Bañar con el almíbar restante. Servir con crema batida.

BUDÍN DE FRUTAS A LA CREMA DE ALMENDRAS

INGREDIENTES

POLVO DE ALMENDRAS	200 gramos de manteca
250 gramos de almendras	200 gramos de azúcar
enteras sin cáscara	3 huevos
CREMA DE ALMENDRAS	BUDÍN
150 gramos de pasas de uva sin semillas	200 gramos de frutillas
2 cucharadas de ron	3 kiwis

POLVO DE ALMENDRAS

▸ Sumergir las almendras en agua hirviente durante 2 minutos. Escurrirlas y pelarlas. Esparcirlas sobre una placa limpia. Secarlas en el horno durante 10 minutos. Molerlas en la procesadora hasta reducirlas a polvo (se obtendrán 200 gramos).

CREMA DE ALMENDRAS

▸ Remojar las pasas de uva en el ron.

▸ Con batidora eléctrica batir la manteca blanda con el azúcar a punto pomada. Agregar el polvo de almendras y los huevos, de a uno. Seguir batiendo hasta lograr una consistencia cremosa. Incorporar las pasas de uva escurridas y mezclar con espátula.

BUDÍN

▸ Lavar las frutillas y pelar los kiwis. Cortar ambas frutas en mitades, a lo largo.

▸ Tapizar con film una budinera. Con ayuda de una espátula extender sobre el fondo y los costados un tercio de la crema de almendras. Disponer las frutillas y colocar otro tercio de la preparación. Acomodar los kiwis y completar con la preparación restante. Alisar la superficie.

▸ Llevar a la heladera por lo menos 3 horas.

▸ Desmoldar y cortar con un cuchillo bien filoso (preferentemente eléctrico). Decorar con frutillas y hojas de menta.

BUDÍN DE MANZANAS Y AMARETTI

INGREDIENTES

5 manzanas verdes grandes
250 gramos de azúcar
4 yemas
24 *amaretti* (pág. 66)
4 claras
150 gramos de pasas de uva sin semillas
manteca y azúcar para el molde

▸ Pelar las manzanas, cortarlas en gajos y quitarles las semillas. Colocarlas en una cacerola junto con el azúcar. Tapar y llevar sobre fuego moderado. Revolver de tanto en tanto, hasta que suelten jugo. Destapar y continuar la cocción, revolviendo para que la compota no se pegue y forme un puré. Retirar y dejar enfriar.

▸ Batir ligeramente las yemas y añadirlas al puré de manzanas. Procesar los *amaretti* hasta reducirlos a polvo y agregarlos. Batir las claras a nieve e integrarlas con suavidad. Incorporar las pasas de uva.

▸ Enmantecar una budinera y espolvorearla con azúcar. Disponer dentro la preparación.

▸ Cocinar en el horno a 180ºC, a baño de María, hasta que esté firme. Pinchar el centro con un palillo y observar que salga limpio para comprobar el punto. Retirar, dejar enfriar y desmoldar.

▸ Mantener en la heladera hasta el momento de servir. Si se desea, acompañar con crema batida.

CRÈME BRÛLÉE PRALINÉ

INGREDIENTES

PRALINÉ

100 gramos de azúcar

100 gramos de almendras

CRÈME BRÛLÉE

4 yemas

2 cucharadas de azúcar

400 cc de crema de leche

esencia de vainilla

2 cucharadas de azúcar impalpable

PRALINÉ

▶ Fundir el azúcar para obtener un caramelo. Cuando tome color rubio retirarlo del fuego y añadirle las almendras. Volcar sobre una superficie enmantecada, extender con espátula también enmantecada y dejar enfriar. Trozar y moler.

CRÈME BRÛLÉE

▶ Mezclar las yemas con el praliné y el azúcar. Agregar la crema de leche y la vainilla.

▶ Colocar la preparación en una fuente térmica cuadrada de 22 cm de lado. Dejar reposar en la heladera hasta el día siguiente.

▶ Cocinar en el horno a 130°C, a baño de María, durante 35 minutos. Retirar y dejar enfriar. Llevar a la heladera por lo menos 4 horas.

▶ Desmoldar y cortar en cuadrados. Espolvorear la superficie con el azúcar impalpable y quemar con el soplete para que resulte oscura y crocante.

CROCANTE DE FRUTAS SECAS Y MANZANAS

INGREDIENTES

1 saquito de té
100 cc de agua hirviente
150 gramos de ciruelas pasa
100 gramos de damascos secos
100 gramos de pasas de uva rubias sin semillas
2 cucharadas de coñac
3 manzanas
30 gramos de manteca
80 gramos de miel
jugo y ralladura de 1 limón
1/2 cucharadita de canela molida
6 hojas de masa *philo* (pág. 164)
manteca derretida para pincelar
azúcar impalpable para espolvorear

‣ Precalentar el horno a 210ºC.

‣ Preparar té con el saquito y el agua hirviente.

‣ Enjuagar las ciruelas y los damascos y cortarlos en cubos. Colocarlos en un bol, junto con las pasas. Rociar con el té caliente y el coñac. Dejar reposar durante 10 minutos.

‣ Pelar las manzanas y cortarlas en cubos de 2 cm de lado. Rehogarlas en la manteca. Añadir la miel, el jugo y la ralladura de limón. Cocinar durante 10 minutos.

‣ Bajar el fuego y agregar las ciruelas y los damascos, bien escurridos. Perfumar con la canela. Continuar la cocción 10 minutos más. Retirar y dejar enfriar.

‣ Pincelar las hojas de masa con manteca derretida, espolvorearlas con azúcar impalpable y superponerlas. Colocar el conjunto dentro de una tartera.

‣ Rellenar con la preparación de frutas. Plegar hacia el centro los bordes de las hojas de masa. Espolvorear con azúcar impalpable.

‣ Hornear durante 10 minutos. Retirar, dejar entibiar y saborear enseguida, con crema chantillí.

DULZURA PARA CALMAR A LAS FIERAS

INGREDIENTES

3 cucharadas de cacao amargo

4 cucharadas de agua

200 gramos de manteca

250 gramos de azúcar morena

3 huevos

250 gramos de harina

1 cucharada de polvo para hornear

250 gramos de dulce de leche repostero

1 lata de peras

▶ Disolver el cacao en el agua hirviente. Dejar entibiar.

▶ Batir la manteca blanda con el azúcar morena hasta alcanzar un punto cremoso. Agregar los huevos de a uno, batiendo cada vez. Añadir el cacao apenas tibio. Incorporar la harina mezclada con el polvo para hornear. Unir muy bien con cuchara de madera.

▶ Colocar la preparación en un molde enmantecado y enharinado.

▶ Cocinar en el horno a 180ºC de 45 a 50 minutos.

▶ Desmoldar sobre rejilla y dejar enfriar.

▶ Cortar la torta por la mitad de su altura. Armarla de nuevo, intercalando el dulce de leche y las peras cortadas en láminas. Reservar un poco de cada ingrediente para decorar la superficie.

No se olvide de comer despacio. Para lograrlo, nada mejor que hacerlo en compañía y manteniendo una conversación amena.

MILHOJAS DE CHOCOLATE

INGREDIENTES

TUILES	CREMA DE VAINILLA
200 gramos de manteca	500 cc de leche
250 gramos de azúcar	1 chaucha de vainilla
5 claras	6 yemas
100 gramos de harina	200 gramos de azúcar
50 gramos de cacao amargo	50 gramos de harina
	200 cc de crema de leche

TUILES

▸ Mezclar la manteca blanda con el azúcar. Incorporar gradualmente las claras y la harina tamizada con el cacao. Dejar descansar durante 12 horas en la heladera.

▸ Tomar cucharadas de masa. Colocarlas bien separadas sobre una placa forrada con silpat. Aplanarlas con el dorso de la cuchara para formar discos de 10 cm de diámetro y 3 mm de espesor.

▸ Hornear a temperatura moderada de 5 a 7 minutos. Retirar, desprender del silpat y dejar enfriar.

CREMA DE VAINILLA

▸ Hervir la leche con la vainilla.

▸ Batir las yemas con el azúcar. Añadir la harina y verter la leche hirviente.

▸ Llevar nuevamente al fuego y revolver hasta que espese. Retirar y dejar enfriar.

▸ Batir la crema de leche y agregarla. Unir bien.

ARMADO

▸ Para cada milhojas superponer 3 *tuiles*, intercalando entre ellas la crema de vainilla.

POSTRE EUROPEO DE MANZANAS

INGREDIENTES

MASA	RELLENO
250 gramos de manteca	50 gramos de pasas de uva sin semillas
100 gramos de azúcar	3 cucharadas de ron
3 yemas	750 gramos de manzanas verdes
4 cucharadas de leche	200 gramos de azúcar
esencia de vainilla	ralladura de 1/2 limón
250 gramos de harina	1/2 cucharada de canela molida
50 gramos de almidón de maíz	3 claras
	100 gramos de almendras picadas

MASA

▸ Batir la manteca blanda con el azúcar a punto pomada. Incorporar poco a poco las yemas, la leche y la vainilla.

▸ Combinar la harina con el almidón y añadirlos lentamente a la preparación anterior.

RELLENO

▸ Lavar las pasas con agua caliente, secarlas y remojarlas en el ron

▸ Pelar las manzanas y cortarlas en tajadas finas. Ponerlas en una cacerola junto con 100 gramos de azúcar, la ralladura de limón, las pasas y la canela. Cocinar a fuego lento hasta que estén tiernas.

▸ Batir las claras a nieve con el resto del azúcar y mezclar con las almendras.

ARMADO

▸ Forrar una asadera con papel siliconado y enmantecarlo. Colocar dentro la masa y extenderla con espátula. Disponer encima las manzanas y las pasas. Cubrir con el batido de claras y almendras.

▸ Hornear a temperatura moderada durante 45 minutos. Retirar, dejar entibiar y cortar en cuadrados.

SOUFFLÉ HELADO DE PERAS

INGREDIENTES

2 tazas de azúcar
1 copa de vino blanco
1 lata de peras
500 cc de crema de leche
4 claras

▶ Colocar en una cacerola 1 y 1/2 taza de azúcar y el vino. Llevar al fuego e incorporar de inmediato las peras escurridas. Retirarlas cuando rompa el hervor. Continuar la cocción del almíbar.

▶ Mientras tanto procesar las peras, batir la crema y por separado batir las claras con el resto del azúcar.

▶ Cuando el almíbar forme burbujas grandes y sostenidas, incorporarlo a las claras y seguir batiendo hasta que se enfríe, para obtener un merengue.

▶ Unir las peras procesadas con la crema y el merengue.

▶ Cortar tiras de papel siliconado de 3 cm de ancho. Rodear con ellas el borde de moldes individuales para *soufflé* y sujetarlas con bandas elásticas.

▶ Llenar los moldes con la preparación, hasta la altura del papel.

▶ Llevar al freezer durante 2 horas. Quitar el papel.

▶ Presentar en los moldes, con peras fileteadas y caramelo hilado.

Exprese sus sentimientos. Los que dan y reciben cariño viven más y mejor.

SUSPIROS DE MASA BOMBA

INGREDIENTES

250 cc de leche

2 cucharaditas de azúcar

1 cucharadita de sal

50 gramos de manteca

125 gramos de harina

4 huevos

ralladura de 1 naranja

1 cucharadita de agua de azahar

2 litros de aceite para freír

▶ Colocar en una cacerola la leche, el azúcar, la sal y la manteca. Llevar a punto de ebullición.

▶ Fuera del fuego agregar la harina y batir enérgicamente.

▶ Volver al fuego durante 2 minutos para secar la preparación.

▶ Retirar y añadir los huevos de a uno, mientras se revuelve para obtener una masa lisa y homogénea.

▶ Perfumar con la ralladura de naranja y el agua de azahar.

▶ Calentar el aceite. Con ayuda de una cucharita tomar porciones de masa del tamaño de una nuez y deslizarlas en el aceite caliente.

▶ Los suspiros se inflarán y rotarán a mitad de cocción. Una vez dorados de ambos lados, retirarlos con espumadera y escurrirlos sobre papel absorbente.

▶ Espolvorear con azúcar y servir calientes.

> Cuando vaya a un restaurante, no permita que el mozo deje en la mesa pan con manteca para picar... ¡aunque le encante!

TARTA DE CHOCOLATE Y DÁTILES

INGREDIENTES

MASA	CUBIERTA
250 gramos de harina	150 cc de azúcar
100 gramos de manteca	500 cc de agua
125 gramos de azúcar	jugo de 2 limones
1 huevo	150 gramos de dátiles descarozados
RELLENO	100 gramos de nueces
3 yemas	
1 cucharada de azúcar	
120 gramos de chocolate	
120 gramos de manteca	

MASA
▸ Procesar todos los ingredientes juntos. Dejar reposar durante 1 hora.
▸ Estirar, forrar una tartera y cocinar durante 20 minutos en horno de temperatura moderada. Retirar y dejar enfriar.

RELLENO
▸ Batir las yemas con el azúcar.
▸ Fundir el chocolate junto con la manteca y añadirlos al batido.

CUBIERTA
▸ Hacer un almíbar con el azúcar, el agua y el jugo de limón. Incorporar los dátiles y hervir durante 2 minutos. Retirarlos con espumadera.
▸ Picar las nueces.

ARMADO
▸ Extender sobre la masa cocida y fría el relleno de chocolate.
▸ Cubrir con los dátiles y espolvorear con las nueces.

TARTA DE DAMASCOS

INGREDIENTES

MASA	CREMA DE AVELLANAS
200 gramos de harina	80 gramos de manteca
50 gramos de manteca	80 gramos de azúcar
1 huevo	1 huevo
2 cucharadas de agua	50 gramos de avellanas
	1 cucharada de harina
	ADEMÁS
	1 kilo de damascos
	30 gramos de azúcar

MASA

▸ Procesar todos los ingredientes juntos. Reservar en la heladera durante 1 hora.

CREMA DE AVELLANAS

▸ Procesar todos los ingredientes juntos.

ARMADO

▸ Precalentar el horno a 180ºC.
▸ Lavar los damascos, partirlos por el medio y descarozarlos.
▸ Estirar la masa y forrar una tartera enmantecada.
▸ Colocar la crema de avellanas en el fondo. Ubicar arriba los damascos, con la cavidad hacia abajo. Espolvorear con el azúcar.
▸ Llevar al horno durante 30 minutos.

TARTA DE NUEZ Y CARAMELO

INGREDIENTES

MASA
160 gramos de manteca
1 cucharada de azúcar
1 pizca de sal
1 huevo
250 gramos de harina
1 cucharada de leche
RELLENO
250 gramos de azúcar
250 cc de crema de leche
200 gramos de nueces

MASA

▪ Mezclar la manteca con el azúcar y la sal. Agregar el huevo e incorporar poco a poco la harina. Unir con la leche. Dejar reposar durante 1/2 hora.

▪ Estirar, forrar una tartera y hornear a 180°C durante 20 minutos.

RELLENO

▪ Fundir el azúcar para obtener un caramelo. Cuando tome color rubio agregar la crema e integrarla. Añadir las nueces.

▪ Volcar sobre la masa cocida y dejar enfriar.

Aprenda a decir que no.
Sobrecargarse de tareas es una
de las primeras llaves que le abren
la puerta al estrés.

TARTA MERENGADA

INGREDIENTES

MASA
4 yemas
160 gramos de azúcar
160 gramos de harina leudante
1 pizca de sal
160 gramos de manteca
RELLENO
6 claras
400 gramos de azúcar
600 gramos de grosellas

MASA

▸ Precalentar el horno a temperatura alta.

▸ Batir las yemas con el azúcar hasta blanquear. Incorporar la harina, la sal y la manteca derretida.

▸ Colocar en una tartera antiadherente. Hornear durante 10 minutos.

RELLENO

▸ Batir las claras y agregarles el azúcar poco a poco a medida que tomen consistencia. Añadir las grosellas mientras se mezcla en forma envolvente. Volcar en la tartera, sobre la masa precocida.

▸ Bajar la temperatura del horno a 180ºC y cocinar de 30 a 40 minutos más.

▸ Retirar, pasar un cuchillo entre el molde y la tarta y desmoldar.

TORTA ANGELO

INGREDIENTES

MERENGUE	PARFAIT
500 gramos de azúcar	6 yemas
125 cc de agua	50 gramos de azúcar
6 claras	1 copita de licor de menta
50 gramos de almidón de maíz	200 gramos de chocolate
50 gramos de cacao	1 sobre de gelatina sin sabor
	250 cc de crema de leche

MERENGUE

▸ Reservar 1/2 taza de azúcar. Hacer un almíbar a punto bolita con el resto del azúcar y el agua.

▸ Batir las claras con el azúcar reservada. Verter el almíbar sobre ellas mientras se continúa batiendo hasta enfriar, para obtener un merengue.

▸ Incorporar en forma de lluvia el almidón tamizado con el cacao.

▸ Colocar la preparación en una manga con boquilla lisa de 1 cm de diámetro. Sobre una placas forradas con silpat formar 3 discos y varios bastones finos del largo de la placa.

▸ Cocinar en horno suave durante 1 y 1/2 hora.

PARFAIT

▸ Batir las yemas con el azúcar y el licor, a baño de María. Cuando tomen cuerpo retirar del baño.

▸ Agregar el chocolate derretido y la gelatina disuelta en un poco de agua. Unir bien y dejar enfriar.

▸ Batir la crema e integrarla.

ARMADO

▸ Forrar un molde con film. Colocar el *parfait* en capas, intercalando los discos de merengue.

▸ Llevar al freezer durante 2 horas.

▸ Desmoldar y cubrir toda la superficie con los bastones de merengue, partidos en pequeños trozos irregulares.

TORTA DOBLE DE CHOCOLATE Y FRUTAS ROJAS

INGREDIENTES

TORTA BROWNIE	200 gramos de chocolate
3 huevos	1 sobre de gelatina sin sabor
250 gramos de azúcar	1/2 copita de licor de naranjas
150 gramos de chocolate	600 cc de crema de leche
150 gramos de manteca	250 gramos de frambuesas
100 gramos de nueces	1 cucharada extra de azúcar
70 gramos de harina	1 cucharada extra de licor
50 gramos de mermelada de frambuesas	ADEMÁS
TORTA CREMA DE CHOCOLATE	frambuesas para decorar
8 huevos	mermelada de frambuesas para
100 gramos de azúcar	abrillantar

TORTA BROWNIE

▸ Batir los huevos. Agregar el azúcar y luego el chocolate y la manteca derretidos. Incorporar las nueces en trozos y la harina.

▸ Colocar en un molde de 26 cm de diámetro. Hornear durante aproximadamente 30 minutos, hasta que los bordes se separen del molde. Retirar y dejar enfriar. Cubrir con la mermelada.

TORTA CREMA DE CHOCOLATE

▸ Batir los huevos con el azúcar hasta que estén espumosos. Añadir el chocolate derretido y la gelatina hidratada con el licor. Batir la crema e integrarla.

▸ Tapizar con acetato el fondo y las paredes de un molde de 22 cm de diámetro. Verter la mitad de la preparación. Llevar al freezer durante 1/2 hora.

▸ Macerar las frambuesas con el azúcar y el licor extras. Colocarlas dentro del molde, sobre la capa freezada, y cubrir con el resto de la preparación.

▸ Volver al freezer 2 horas más. Desmoldar.

ARMADO

▸ Colocar la torta crema de chocolate sobre la torta *brownie*. Adornar el contorno con frambuesas y abrillantarlas con mermelada.

TORTA MIMOSA

INGREDIENTES

BIZCOCHUELO	RELLENO
6 claras	250 cc de crema de leche
4 cucharadas de harina	4 cucharadas de azúcar
2 cucharadas de almidón de maíz	1 frasco de frambuesas
6 yemas	250 gramos de dulce de leche repostero
10 cucharadas de azúcar	azúcar impalpable
100 gramos de nueces molidas	

BIZCOCHUELO

▶ Precalentar el horno a temperatura moderada.

▶ Batir las claras a nieve y reservarlas. Tamizar 3 veces la harina y el almidón.

▶ Batir las yemas con el azúcar hasta que adquieran color pálido. Añadir la mitad de las claras. Incorporar las nueces y los ingredientes tamizados. Agregar el resto de las claras.

▶ Volcar en un molde de 24 cm de diámetro, enmantecado y enharinado.

▶ Cocinar en el horno durante aproximadamente 45 minutos. El bizcochuelo debe resultar alto y aireado. Para probar el punto, presionar con los dedos y observar que vuelva a levantarse como una esponja.

▶ Retirar, desmoldar y dejar enfriar sobre rejilla. Cortar en 3 capas.

RELLENO

▶ Batir la crema con el azúcar a punto chantillí.

▶ Colocar la primera capa de bizcochuelo en una fuente de presentación. Cubrir con la crema chantillí y las frambuesas escurridas. Disponer la segunda capa y untar con el dulce de leche repostero. Ubicar arriba la última capa. Espolvorear con azúcar impalpable.

Torta Mousse de Miel y Avellanas

INGREDIENTES

Merengue	Mousse
7 claras	7 yemas
250 gramos de azúcar	2 cucharadas de azúcar
150 gramos de avellanas molidas	300 gramos de miel
1 cucharada de almidón de maíz	1 sobre de gelatina sin sabor
	500 cc de crema de leche

MERENGUE

▶ Batir las claras con un poco de azúcar. Incorporar las avellanas molidas mezcladas con el almidón y el azúcar restante, mientras se airea la preparación con una espátula.

▶ Con manga o cuchara formar merengues pequeños y chatos sobre una placa. Cocinar de 15 a 20 minutos en horno de temperatura moderada.

MOUSSE

▶ *Batir las yemas con el azúcar hasta blanquear.*

▶ Calentar la miel a 120ºC. Volcarla sobre las yemas y seguir batiendo hasta enfriar.

▶ Incorporar al gelatina hidratada en un poco de agua.

▶ Batir la crema y añadirla.

ARMADO

▶ Tapizar con una tira de acetato el contorno de una tortera desmontable.

▶ Colocar en forma alternada merengues y *mousse*, hasta formar 4 capas.

▶ Llevar al freezer durante 2 horas. Retirar y desmoldar.

TORTA PARA GOLOSOS

INGREDIENTES

BIZCOCHUELO	ADEMÁS
6 huevos	*kirsch*
225 gramos de azúcar	2 discos de merengue
225 gramos de harina leudante	600 cc de crema de leche
25 gramos de manteca	6 cucharadas de azúcar
MOUSSE DE DULCE DE LECHE	200 gramos de frambuesas
250 gramos de dulce de leche	
400 cc de crema de leche	

BIZCOCHUELO

▶ Batir los huevos con el azúcar a punto letra. Incorporar en forma envolvente la harina leudante y la manteca derretida. Colocar en un molde de 24 cm de diámetro, enmantecado y enharinado. Cocinar en horno de temperatura moderada durante 30 minutos. Retirar, desmoldar y dejar enfriar.

MOUSSE DE DULCE DE LECHE

▶ Batir 100 gramos de dulce de leche hasta aligerarlo. Añadir la crema y seguir batiendo hasta que tome cuerpo. Unir con el dulce de leche restante.

ARMADO

▶ Cortar el bizcochuelo en dos capas. Tapizar con acetato el molde que se usó para hornearlo. Ubicar dentro la capa inferior.

▶ Humedecer con *kirsch*, extender la *mousse* y esparcir el merengue triturado.

▶ Batir la crema con el azúcar. Reservar una parte y colocar el resto sobre el merengue.

▶ Disponer encima las frambuesas (guardar algunas). Cubrir con la capa superior del bizcochuelo y presionar.

▶ Decorar la superficie de la torta con la crema reservada, puesta en manga. Dejar el centro libre y colocar allí las frambuesas que se habían guardado.

TORTA TENTACIÓN

INGREDIENTES

50 gramos de chocolate blanco

50 gramos de manteca

4 huevos

150 gramos de azúcar

150 gramos de harina leudante

250 cc de crema de leche

150 gramos de azúcar impalpable

500 gramos de frutillas

1/2 taza de almíbar

200 gramos de chocolate cobertura

▶ Precalentar el horno a 160°C.

▶ Trozar el chocolate blanco, colocarlo en un recipiente junto con la manteca y fundirlo a baño de María.

▶ Poner en un bol los huevos y el azúcar. Batir sobre baño de María hasta alcanzar un punto espumoso.

▶ Fuera del baño agregar la harina, alternando con la mezcla de chocolate y manteca. Integrar muy bien con delicados movimientos envolventes.

▶ Enmantecar un molde de 24 cm de diámetro. Verter en él la preparación.

▶ Llevar al horno de 35 a 40 minutos. Retirar y desmoldar sobre rejilla.

▶ Batir la crema con el azúcar impalpable a punto chantillí.

▶ Lavar las frutillas, quitarles el cabito y cortarlas por el medio.

▶ Dividir la torta en dos capas. Humedecerlas con el almíbar.

▶ Extender sobre la capa inferior la mitad de la crema chantillí. Distribuir las frutillas y cubrirlas con el resto de la crema. Apoyar encima la otra capa de torta. Llevar a la heladera durante 30 minutos.

▶ Trozar el chocolate cobertura, derretirlo a baño de María y templarlo.

▶ Retirar la torta de la heladera y colocarla en una rejilla ubicada sobre una placa. Bañarla con el chocolate cobertura; comenzar por el centro y seguir con movimiento circular, para cubrir de manera uniforme. Dejar orear y reservar en la heladera hasta servir.

LA FUERZA DEL CARIÑO

RECETAS DE FAMILIA

RROZ ORIENTAL

INGREDIENTES

1 pollo
sal
pimienta
60 gramos de manteca
jugo de 1 limón
1/2 taza de aceite de oliva
1 cebolla
500 gramos de arroz
1 cápsula de azafrán
1 y 1/2 litro de caldo de pollo
100 gramos de almendras peladas
100 gramos de piñones
100 gramos de pasas de uva sin semillas

▶ Salpimentar el pollo, untarlo con la mitad de la manteca y rociarlo con el jugo de limón. Cocinarlo en horno de temperatura moderada durante 1 hora. Dejarlo enfriar, quitarle la piel y los huesos, desmenuzarlo en tiras y reservarlo.

▶ Calentar el aceite en una cacerola. Freír la cebolla picada. Agregar el arroz y rehogarlo brevemente. Incorporar el azafrán, verter el caldo y cocinar durante 15 minutos.

▶ Disponer el arroz en una fuente ovalada.

▶ Calentar la manteca restante en una sartén, pasar rápidamente el pollo y ubicarlo sobre el arroz.

▶ En la misma sartén saltear las almendras, los piñones y las pasas. Disponer todo sobre el pollo.

▶ Este plato se puede saborear caliente o frío.

BERENJENAS FESTIVAS

INGREDIENTES

2 kilos de berenjenas pequeñas

ajo

perejil

albahaca

200 gramos de queso parmesano

6 yemas

100 gramos de pan rallado

sal

pimienta

6 claras

aceite para freír

▶ Cortar las berenjenas por la mitad a lo largo. Hervirlas durante 5 minutos en agua salada. Escurrirlas y dejarlas enfriar. Retirar la pulpa con ayuda de una cuchara, cuidando que no se rompa la cáscara. Reservar.

▶ Picar con cuchillo la pulpa de las berenjenas, el ajo, el perejil y la albahaca. Mezclar todo en un bol. Unir con el queso rallado, las yemas y el pan rallado. Salpimentar.

▶ Rellenar las cáscaras de las berenjenas con la preparación.

▶ En un plato hondo mezclar las claras con sal, sin batir.

▶ Pasar las berenjenas boca abajo por las claras. Freírlas en aceite, primero boca abajo durante 2 minutos y después del otro lado por igual tiempo.

▶ Escurrirlas sobre papel absorbente y comerlas frías.

No aliñe las ensaladas antes de presentarlas. Sírvalas al natural, para que cada uno aderece su porción con los condimentos que tenga permitidos.

CHIPÁ (VERSIÓN ELSA)

INGREDIENTES

1 puñado de sal gruesa

200 cc de agua

1 kilo de harina de mandioca

350 gramos de manteca o margarina

4 huevos grandes

jugo de 1 naranja

500 gramos de queso fontina o Mar del Plata

250 gramos de queso sardo o parmesano

▸ Colocar la sal y el agua en una cacerolita chica. Calentar, sin que hierva, hasta que la sal se disuelva por completo. Retirar y dejar enfriar esta salmuera.

▸ Ubicar la harina de mandioca dentro de un bol grande. Hacer un hueco en el centro. Poner allí la manteca o margarina blanda, los huevos y el jugo de naranja. Mezclar mientras se agrega poco a poco la salmuera, hasta obtener una masa homogénea.

▸ Incorporar el queso fontina o Mar del Plata cortado en cubitos y el sardo o parmesano rallado. Unir y amasar vigorosamente.

▸ Separar la masa en trozos y armar panes alargados, redondos o en forma de rosca. Apoyarlos sobre una placa enmantecada.

▸ Hornearlos a 220°C durante aproximadamente 10 minutos, hasta que se doren. Servirlos calentitos.

No intente sacarse 10 en todo.
Saber delegar responsabilidades también
es sinónimo de eficiencia y capacidad.

FLAN DE ALCAUCILES SOBRE CONCASSÉ DE TOMATES

INGREDIENTES

3 cucharadas de aceite de oliva
750 gramos de corazones de alcauciles al natural
1 diente de ajo
200 gramos de queso *gruyère*
1 ramillete de albahaca
5 huevos
125 cc de crema de leche
2 cucharadas de harina leudante
perejil
1 kilo de tomates perita maduros
aceite de oliva extra para saltear
1 *échalote*

▪ Precalentar el horno a 160ºC.

▪ Calentar el aceite de oliva en una sartén. Rehogar los alcauciles trozados y el ajo cortado en láminas.

▪ Procesar los alcauciles y el ajo junto con el queso *gruyère* rallado y la albahaca.

▪ Incorporar los huevos, la crema, la harina y el perejil picado.

▪ Colocar la preparación en una flanera.

▪ Hornear durante 45 minutos a baño de María. Retirar y desmoldar.

▪ Pasar los tomates por agua hirviente durante 1 minuto y por agua helada el mismo tiempo. Pelarlos y cortarlos en cubos pequeños.

▪ Saltearlos en un poco de aceite de oliva, junto con la *échalote* picada.

▪ Presentar el flan en una fuente, con el *concassé* de tomates alrededor.

FROLA DE BERENJENAS

INGREDIENTES

MASA	RELLENO
400 gramos de harina	1 kilo de berenjenas
150 gramos de manteca	1 taza de aceite
1 cucharada de sal	2 cebollas
200 cc de crema de leche	1 cucharada de azúcar
	2 cucharadas de harina
	2 cucharadas de crema de leche
	1 taza de queso rallado
	1 yema
	1 huevo

MASA

▸ Procesar la harina con la manteca y la sal hasta formar un granulado. Unir con la crema. Dejar reposar en la heladera durante 2 horas.

RELLENO

▸ Pelar las berenjenas quitando tiras largas de cáscara. Reservar las tiras.

▸ Cortar las berenjenas peladas en rodajas. Acomodarlas en una asadera con parte del aceite y cocinarlas en el horno.

▸ Picar finamente las cebollas. Rehogarlas en una sartén con el resto del aceite. Retirarlas y mezclarlas con las berenjenas cocidas y el azúcar. Agregar la harina, la crema y el queso. Dejar enfriar.

▸ Incorporar la yema y el huevo.

ARMADO

▸ Estirar la masa y forrar una tartera. Rellenar con la preparación de berenjenas. En la superficie formar un enrejado con las tiras de cáscara de las berenjenas.

▸ Cocinar en horno de temperatura moderada durante 30 minutos.

GUISO DE ÁNGELES

INGREDIENTES

1 cebolla
2 pechugas de pollo deshuesadas, sin piel
2 cucharadas de aceite de oliva
1 vaso de jerez
2 latas de puré de tomates
150 gramos de champiñones
1 diente de ajo
1/2 paquete de fideos cabellos de ángel
1 lata de arvejas
1/2 horma de queso sardo

▶ Picar la cebolla. Cortar las pechugas en tiritas.

▶ Calentar la mitad del aceite en una cacerola. Rehogar la cebolla. Agregar las pechugas y saltearlas. Verter el jerez y dejar que se evapore el alcohol. Añadir el puré de tomates.

▶ En una sartén, con el aceite restante, saltear los champiñones y el ajo.

▶ Incorporar a la cacerola los cabellos de ángel, las arvejas y los champiñones. Completar la cocción durante pocos minutos, hasta que los fideos estén a punto.

▶ Ahuecar el queso y tallar el borde en forma de ondas. Utilizarlo como recipiente para presentar el guiso.

Calcule las porciones justas. Es preferible ampliar el menú con una minuta en caso de que lleguen visitas sorpresa, que cocinar de más por las dudas y comer el excedente por no tirarlo.

KIBBE DE MIS ANCESTROS

INGREDIENTES

MASA	RELLENO
200 gramos de trigo burgol superfino	500 gramos de cebollas
200 gramos de carne picada magra	200 gramos de carne picada
1/2 taza de agua	sal
sal	pimienta
	1 ramillete de menta
	ADEMÁS
	70 gramos de manteca
	1/2 taza de agua

MASA

▶ Lavar y escurrir el trigo. Colocarlo en un bol junto con la carne, el agua fría y sal a gusto. Amasar hasta lograr una textura lisa y compacta. Dejar reposar.

RELLENO

▶ Picar las cebollas. Rehogarlas junto con la carne. Retirar, salpimentar y perfumar con la menta picada. Dejar enfriar.

ARMADO

▶ Untar con 30 gramos de manteca una asadera cuadrada de 30 cm de lado.
▶ Dividir la masa en dos partes. Colocar una de ellas en la asadera. Extenderla con las manos mojadas con agua. Disponer encima el relleno, en forma pareja. Cubrir con el resto de la masa. Alisar bien, siempre con las manos mojadas.
▶ Cortar rombos con un cuchillo, también mojado con agua.
▶ Cortar la manteca restante en trocitos. Esparcirla sobre la superficie del *kibbe*. Rociar con el agua.
▶ Cocinar en horno caliente durante 20 minutos, hasta dorar.
▶ Retirar, separar los rombos y servir.

MILANESAS GRATINADAS CON HONGOS

INGREDIENTES

1 peceto
sal
pimienta
ajo
perejil
3 huevos
300 gramos de queso provolone
300 gramos de pan rallado
100 gramos de hongos de pino
1 cucharada de manteca
1 cebolla de verdeo
1 vaso vino tinto
2 cucharadas de crema de leche
300 gramos de queso mantecoso

▶ Cortar el peceto en escalopes. Golpearlos con la maza para afinarlos y ablandarlos. Salpimentarlos y condimentarlos con ajo y perejil picados.

▶ Pasarlos por los huevos batidos, luego por el provolone rallado y finalmente por el pan rallado.

▶ Cocinar las milanesas por fritura o al horno. Reservarlas.

▶ Lavar los hongos y remojarlos en agua caliente. Escurrirlos y picarlos. Rehogarlos en la manteca, junto con la cebolla de verdeo picada. Verter el vino y dejar reducir. Incorporar la crema y cocinar brevemente. Retirar y salpimentar.

▶ Acomodar las milanesas en una fuente térmica. Cubrirlas con el queso mantecoso cortado en láminas. Distribuir arriba la preparación de hongos y terminar con un toque de provolone rallado.

▶ Gratinar durante 5 minutos en horno fuerte.

▶ Servir con puré de papas aromatizado con hierbas.

ÑOQUIS DE CALABAZA CON SALSA SUAVE DE QUESO Y PEREJIL

INGREDIENTES

1 calabaza de 1 kilo

100 gramos de queso crema

sal

pimienta

3 huevos

500 gramos de harina leudante

SALSA

1 ramillete de perejil

100 gramos de manteca

100 gramos de harina

100 gramos de queso parmesano

500 cc de leche

▸ Cocinar la calabaza al vapor o en el horno. Descartar la cáscara y las semillas. Pisar la pulpa junto con el queso crema. Salpimentar e incorporar los huevos.
▸ Hacer una corona con la harina. Colocar en el centro la preparación de calabaza. Unir y formar los ñoquis.
▸ Cocinarlos en agua hirviente alrededor de 5 minutos.
▸ Retirarlos con espumadera, salsearlos y saborearlos.

SALSA
▸ Lavar el perejil. Blanquearlo sumergiéndolo unos instantes en agua hirviente salada. Escurrirlo, procesarlo, pasarlo por tamiz y reservarlo.
▸ Derretir la manteca en una cacerola. Incorporar la harina y unir. Agregar el queso rallado. Verter la leche fría. Cocinar hasta que espese. Retirar del fuego, salpimentar y añadir el perejil. Utilizar de inmediato.

PAPAS GRATINADAS

INGREDIENTES

2 kilos de papas
1 cucharada de aceite
150 gramos de manteca
150 gramos de queso parmesano
pimienta de molinillo
sal

▶ Precalentar el horno a 200°C.

▶ Pelar las papas. Cortarlas en rodajas de 1,5 cm de espesor.

▶ Utilizar una asadera cuadrada de 35 cm de lado, curada o antiadherente. Untarla con el aceite.

▶ Acomodar prolijamente las papas, sin encimarlas.

▶ Distribuir sobre ellas la manteca cortada en cubos pequeños.

▶ Espolvorear con el queso rallado y la pimienta.

▶ Hornear de 30 a 40 minutos, hasta gratinar. Salar a mitad de la cocción.

▶ Retirar y servir en el momento.

▶ Resultan estupendas para acompañar carnes. Si se prefiere servirlas solas, esparcir en la superficie trocitos de jamón crudo antes de gratinar.

Si baja un kilo, póngase contento... ¡aunque le falte bajar otros diez!

PAPAS RELLENAS CON POLLO

INGREDIENTES

2 cucharadas de aceite

1 diente de ajo

1 lata de puré de tomates

1 *bouquet garni*

1 y 1/2 litro de caldo de carne

8 papas grandes

1 pechuga de pollo deshuesada, sin piel

4 huevos

2 cucharadas de queso parmesano rallado

ajo

perejil

albahaca

4 cucharadas de pan rallado

▶ Calentar el aceite en una cacerola honda. Saltear ligeramente el ajo cortado en láminas. Agregar el puré de tomates. Incorporar el *bouquet garni* y verter el caldo caliente. Cocinar lentamente, para obtener una salsa espesa.

▶ Pelar las papas; si se desea, darles forma cilíndrica. Cortar una rodaja delgada en la parte inferior, para lograr una base recta. Ahuecar.

▶ Cortar la pechuga en trozos pequeños, con cuchillo. Mezclarla con los huevos apenas batidos, el queso, el ajo, el perejil y la albahaca picados y el pan rallado.

▶ Rellenar las papas con la preparación de pollo y presionar con una cuchara.

▶ Ubicar las papas rellenas, en posición vertical, dentro de la cacerola con la salsa de tomates. Tapar y cocinar durante 40 minutos.

PASTEL DE RIÑONES Y PAPAS

INGREDIENTES

2 riñones de ternera

1 taza de agua

1 taza de vinagre de alcohol

2 kilos de papas

100 gramos de manteca

100 cc de leche

sal

1 kilo de cebollas

4 cucharadas de aceite

1 vaso de vino blanco

100 cc de crema de leche

pimienta

200 gramos de queso fresco

▶ Sumergir los riñones en la mezcla de agua y vinagre por lo menos 1 hora.

▶ Mientras tanto pelar las papas y cocinarlas al vapor. Antes de que se enfríen procesarlas junto con la manteca, la leche caliente y sal a gusto. Reservar.

▶ Cortar las cebollas en rodajas de 2 mm de espesor.

▶ Enjuagar los riñones y cortarlos en tajadas de 1 cm.

▶ Calentar el aceite en una sartén. Rehogar las cebollas. Incorporar los riñones y cocinar durante 10 minutos. Verter el vino blanco y seguir cocinando 10 minutos más. Agregar la crema y continuar la cocción durante pocos minutos. Salpimentar y retirar.

▶ Ubicar la mitad del puré de papas en una fuente para horno y mesa. Alisar y disponer la preparación de riñones. Colocar el queso cortado en tajadas. Cubrir con el resto del puré.

▶ Gratinar durante 5 minutos en el horno a 200ºC.

PAYAGUÁ MASCADA

INGREDIENTES

1 kilo de mandiocas

1 kilo de carne magra

sal gruesa

4 hojas de cebolla de verdeo

3 cucharadas de manteca

2 huevos

sal

pimienta

1 cucharadita de comino

harina

aceite o grasa

▶ Pelar las mandiocas y lavarlas muy bien. Colocarlas dentro de una cacerola, cubrirlas con agua y cocinarlas hasta que resulten blandas. Escurrirlas y hacer un puré.

▶ Por separado hervir la carne en agua con sal. Cuando esté tierna escurrirla, trozarla y procesarla.

▶ Picar la cebolla de verdeo y rehogarla en una sartén con la manteca.

▶ En un bol grande mezclar el puré de mandioca con la carne y la cebolla de verdeo. Incorporar los huevos. Condimentar con sal, pimienta y comino. Unir muy bien.

▶ Tomar pequeñas porciones y darles forma esférica o circular. Pasarlas por harina.

▶ Freírlas en aceite o grasa caliente hasta dorarlas.

▶ Escurrirlas y presentarlas de inmediato.

SOPA PARAGUAYA

INGREDIENTES

500 gramos de cebollas

250 gramos de manteca o margarina

8 yemas

500 gramos de queso *port salut*

1 litro de leche

1 kilo de harina paraguaya

8 claras

▶ Picar las cebollas. Cocinarlas en una sartén grande con un poco de agua hasta que resulten muy tiernas. Retirar y dejar enfriar.

▶ En un bol grande batir la manteca o margarina a punto pomada. Batir las yemas por separado y añadirlas. Agregar el queso cortado en cubitos, la leche, la harina paraguaya y las cebollas. Mezclar hasta integrar bien todo.

▶ Batir las claras a nieve e incorporarlas con movimientos envolventes.

▶ Colocar la preparación en una asadera enmantecada.

▶ Llevar al horno caliente de 50 a 60 minutos. Para verificar la cocción, pinchar el centro con un cuchillo de punta y observar que salga limpio.

▶ Retirar, cortar en porciones cuadradas y servir.

▶ Resulta ideal para acompañar carnes asadas, o para copetín.

La felicidad está dentro de usted. ¡Búsquela!

Masas de coco y ananá *(pág. 70)*

Papas rellenas con pollo (*pág. 125*)

Terrina rayada de naranjas y chocolate *(pág. 74)*

Rolls de ave con salsa de morillas y papas transparentes *(pág. 59)*

Antojo de frutillas *(pág. 165)*

SURUBÍ AÑORADO

INGREDIENTES

150 gramos de queso roquefort

1 taza de leche

500 gramos de papas

1 kilo de lomo de surubí fileteado

200 cc de crema de leche

1/2 cucharadita de pimienta

manteca

▶ Desmenuzar el queso roquefort y colocarlo en un tazón. Verter sobre él la leche hirviente, mientras se revuelve hasta que el queso se derrita y forme una crema.

▶ Pelar las papas y cortarlas en rodajas.

▶ Enmantecar una fuente rectangular de cerámica. Cubrir todo el fondo con filetes de pescado. Colocar encima una capa de rodajas de papas. Verter la mitad de la preparación de roquefort y de la crema de leche pimentada. Repetir las capas. Distribuir trocitos de manteca en la superficie.

▶ Llevar al horno caliente alrededor de 30 minutos.

▶ Retirar y servir bien caliente.

Dormir por lo menos 7 horas ayuda a mejorar el humor.

TALLARINES DE CRÊPES CON SALSA PARISIÉN AZAFRANADA

INGREDIENTES

1 pechuga de pollo sin piel

sal gruesa

puerro

apio

zanahoria

100 gramos de jamón cocido

250 gramos de champiñones

130 gramos de manteca

sal

pimienta

3 cucharadas de harina

1/2 litro de leche

nuez moscada

1 cápsula de azafrán

200 cc de crema de leche

2 cucharadas de queso rallado

12 crêpes

▶ Cocinar la pechuga en agua con sal y las verduras; dejarla enfriar y cortarla en pequeñas tiras. Cortar el jamón del mismo modo.

▶ Filetear los champiñones. Saltearlos de 3 a 4 minutos en una sartén con 30 gramos de manteca. Agregar el jamón y la pechuga. Salpimentar, retirar del fuego y reservar.

▶ Hacer una salsa blanca con la manteca restante, la harina y la leche. Condimentar con sal, pimienta y nuez moscada. Añadir el azafrán, la crema de leche y el queso rallado.

▶ Enrollar las crêpes y cortarlas como tallarines. Mezclarlas con la preparación de champiñones y la mitad de la salsa azafranada. Colocar en una fuente térmica, cubrir con el resto de la salsa y espolvorear con queso rallado.

▶ Gratinar en el horno y presentar.

Arroz con leche carioca

INGREDIENTES

10 orejones de damascos

15 ciruelas pasa

2 litros de leche

100 gramos de coco rallado

500 gramos de arroz

1 lata de leche condensada

250 gramos de azúcar

▸ Remojar por separado los orejones y las ciruelas.

▸ Calentar 1 litro de leche junto con el coco. Cuando hierva bajar la llama al mínimo y cocinar durante aproximadamente 3 minutos. Retirar del fuego y dejar enfriar.

▸ Colar, dejando caer la leche en una cacerola amplia. Descartar el coco.

▸ Añadir a la cacerola el otro litro de leche, el arroz y la leche condensada. Dejar reposar durante 30 minutos.

▸ Llevar sobre fuego suave. Antes de que rompa el hervor incorporar el azúcar y revolver con suavidad hasta que se disuelva. Cocinar hasta que el arroz esté tierno. Retirar y dejar enfriar.

▸ Pasar el arroz con leche a un bol grande de vidrio. Colocar en el contorno, en forma alternada, los orejones y las ciruelas escurridos y cortados en mitades.

No coma para olvidar las preocupaciones. Un plato suculento no soluciona los problemas; por el contrario, suma un inconveniente más.

BUDÍN DE BATATAS

INGREDIENTES

2 kilos de batatas

300 gramos de azúcar

1 pizca sal

jugo y ralladura de 1 limón

100 gramos de manteca

4 yemas

esencia de vainilla

100 gramos de harina

4 claras

CARAMELO

150 gramos de azúcar

1 cucharada de agua

2 gotas de jugo de limón

▶ Precalentar el horno a 150ºC.

▶ Pelar las batatas y cortarlas en rodajas de 3 cm de espesor. Hervirlas en agua con 100 gramos de azúcar, la sal y el jugo de limón. Escurrirlas cuando estén tiernas.

▶ Hacer un puré con las batatas calientes y la manteca. Incorporar las yemas de a una. Aromatizar con la ralladura de limón y la vainilla. Añadir la harina.

▶ Batir las claras a nieve con el azúcar restante. Agregarlas y unir suavemente.

▶ Con los ingredientes indicados hacer un caramelo directamente en un molde savarin. Verter la preparación y hornear a baño de María durante 1 hora.

CHURROS

INGREDIENTES

500 cc de agua
1/2 cucharadita de sal
ralladura de 1 limón
1 cucharada de aceite
150 gramos de harina
aceite para freír

▶ En una cacerola calentar el agua con la sal, la ralladura de limón y el aceite.

▶ Cuando rompa el hervor añadir la harina de una vez.

▶ Revolver con espátula hasta obtener una pasta lisa que se despegue de la cacerola.

▶ Retirar del fuego y dejar enfriar.

▶ Disponer la pasta en una manga con boquilla rizada.

▶ Calentar abundante aceite en una sartén honda. Sostener la manga sobre ella y presionar para que caiga pasta y se formen los churros.

▶ Freírlos hasta que tomen color dorado en toda su superficie.

▶ Retirarlos, escurrirlos y espolvorearlos con azúcar.

Descanse con las piernas en alto. Diez minutos por día en esa postura contribuyen a mejorar la circulación.

CRIOLLA DULCE

INGREDIENTES

100 gramos de pasas de uva rubias sin semillas
ron
8 rebanadas de pan lácteo sin corteza
manteca
3 huevos
50 gramos de azúcar
ralladura de 1 limón
600 cc de leche
1 cucharadita de esencia de vainilla
1 cucharada de azúcar rubia
1 cucharada extra de azúcar

▸ Remojar las pasas de uva en ron.

▸ Enmantecar una fuente ovalada o rectangular de vidrio o cerámica, algo honda.

▸ Untar con manteca las rebanadas de pan y cortarlas en mitades. Acomodarlas en la fuente, con el lado enmantecado hacia arriba. Esparcir encima las pasas escurridas.

▸ En un bol batir los huevos junto con el azúcar y la ralladura de limón. Agregar la leche tibia perfumada con la esencia de vainilla. Verter sobre el pan. Dejar reposar durante 1 hora, para que el pan absorba el batido.

▸ Precalentar el horno a temperatura entre moderada y fuerte.

▸ Mezclar las cucharadas de azúcares y espolvorear la preparación de la fuente.

▸ Hornear a baño de María hasta que se levante y se dore, durante aproximadamente 50 minutos.

▸ Servir tibia, con crema de leche ligeramente batida.

FLAN DE DURAZNOS Y AMARETTI

INGREDIENTES

5 duraznos grandes
1 cucharada de manteca
3 cucharadas + 1 taza de azúcar
1 cucharada de licor de duraznos o *amaretto*
1/2 pote de crema de leche
2 cucharadas de leche
1 chaucha de vainilla
2 huevos
4 yemas
12 *amaretti* grandes (pág. 66)
2 cucharadas de almendras peladas y picadas

▸ Pelar los duraznos y cortarlos en tajadas finas. Saltearlos en la manteca durante 5 minutos. Agregar las 3 cucharadas de azúcar y cocinar 5 minutos más. Flamear con el licor. Retirar del fuego.

▸ Hervir la crema con la leche y la vainilla. Descartar la vainilla.

▸ Batir los huevos con las yemas y la taza de azúcar. Agregar la mezcla de crema y leche, sin dejar de batir. Dejar enfriar.

▸ Colocar en una flanera limpia los duraznos acaramelados. Espolvorear con los *amaretti* triturados y las almendras. Verter el batido de huevos.

▸ Cocinar a baño de María en el horno precalentado durante 1/2 hora.

▸ Retirar, dejar enfriar y desmoldar.

▸ Decorar con gajos de duraznos y hojas de menta.

MAMÓN EN ALMÍBAR

INGREDIENTES

2 kilos de mamón

azúcar

2 cucharaditas de esencia de vainilla

1 cucharadita de clavo de olor molido

▸ Seleccionar mamones verdes y carnosos. Pelarlos y quitarles las semillas. Cortarlos en gajos o cubos.

▸ Pesar la pulpa. Pesar la misma cantidad de azúcar.

▸ Colocar los trozos de mamón en una cacerola. Cubrirlos con agua y darles un hervor de 2 minutos. Retirarlos y sumergirlos de inmediato en agua fría.

▸ Ubicarlos de nuevo en la cacerola. Cubrirlos con agua hasta sobrepasar un poco la altura de la fruta.

▸ Llevar al fuego, incorporar la mitad del azúcar y hervir lentamente durante 3 horas. Retirar y dejar reposar hasta el día siguiente.

▸ Volver al fuego, añadir el azúcar restante, la vainilla y el clavo de olor. Hervir hasta que el almíbar tome punto. Retirar y dejar enfriar sin tocar la fruta.

▸ Pasar a un recipiente y conservar en la heladera.

Si le ofrecen una porción de torta y decide aceptarla, disfrútela sin dejar que su conciencia lo castigue.

MASAS ORIENTALES

INGREDIENTES

1/2 litro de leche
ralladura de 1/2 limón
100 gramos de manteca
250 gramos de azúcar
1/2 kilo de sémola
1 cucharada de polvo para hornear
100 gramos de avellanas
ALMÍBAR
750 gramos de azúcar
750 cc de agua
jugo de 1 limón

▶ Entibiar la leche perfumada con la ralladura de limón. Agregar la manteca y esperar que se derrita. Añadir el azúcar, mientras se revuelve para disolverla. Dejar enfriar.

▶ Combinar la sémola con el polvo para hornear. Incorporar esta mezcla a la anterior, en forma de lluvia. Dejar descansar durante 8 horas.

▶ Enmantecar y espolvorear con sémola una asadera cuadrada de 30 cm de lado. Colocar en ella la mitad de la preparación. Esparcir las avellanas picadas y cubrir con el resto de la preparación, por cucharadas.

▶ Cocinar en horno de temperatura moderada de 30 a 40 minutos, hasta que se dore la superficie.

▶ Mientras tanto preparar el almíbar con los ingredientes indicados y dejarlo enfriar.

▶ Retirar la preparación del horno. Cortar en cuadrados y bañar con el almíbar. Dejar enfriar por completo antes de separar las masas.

MOUSSE DE QUINOTOS Y MIEL

INGREDIENTES

250 gramos de quinotos
250 gramos de azúcar
250 cc de agua
500 gramos de queso blanco
100 gramos de miel
1 sobre de gelatina sin sabor
4 claras

▪ Blanquear los quinotos y cortarlos en rodajas.

▪ Hacer un almíbar con el azúcar y el agua. Dejar que hierva durante 2 minutos.

▪ Incorporar los quinotos y cocinarlos durante 20 minutos, hasta que resulten translúcidos. Retirar y dejar enfriar.

▪ Escurrir los quinotos. Si se desea preparar mayor cantidad, envasar en frascos el excedente, con el almíbar, y guardar en la heladera.

▪ Mezclar el queso blanco con la miel, los quinotos escurridos (reservar algunos para decorar) y la gelatina hidratada en 2 cucharadas de almíbar.

▪ Batir las claras a nieve y añadirlas con suavidad.

▪ Colocar la *mousse* en una budinera fantasía humedecida con agua.

▪ Llevar a la heladera durante 4 horas como mínimo, hasta que tome cuerpo. Desmoldar y decorar con los quinotos reservados.

PASTEL DE CALABAZA

INGREDIENTES

MASA

100 gramos de manteca

70 gramos de azúcar impalpable

1 yema

200 gramos de harina

RELLENO

400 gramos de queso crema

250 gramos de miel

1 cucharada de canela molida

250 cc de crema de leche

1 cucharada de esencia de vainilla

4 huevos

2 tazas de puré de calabaza

MASA

▸ Procesar la manteca con el azúcar impalpable y la yema. Unir con la harina.

▸ Estirar la masa y forrar una tartera. Hornear durante 15 minutos a temperatura moderada.

RELLENO

▸ Mezclar el queso crema con la miel y la canela.

▸ Agregar la crema de leche y la vainilla. Incorporar los huevos de a uno, batiendo cada vez. Añadir el puré de calabaza.

▸ Colocar el relleno en el molde, sobre la masa precocida.

▸ Hornear a 160°C durante 1 hora y 15 minutos.

▸ Apagar el horno, abrir la puerta y dejar el pastel adentro durante 30 minutos.

▸ Pasar a una rejilla y dejar enfriar por lo menos 4 horas antes de desmoldar.

PASTEL DE MANZANAS

INGREDIENTES

RELLENO	1 huevo
1 y 1/2 kilo de manzanas verdes	450 gramos de harina
jugo de 1 limón	100 gramos de almidón de maíz
300 gramos de azúcar impalpable	huevo y leche para pintar
MASA	SALSA
250 gramos de manteca	1 copa de sidra
200 gramos de azúcar impalpable	jugo del relleno

RELLENO

▸ Pelar las manzanas y cortarlas en tajadas finas. Rociarlas con el jugo de limón y espolvorearlas con el azúcar impalpable. Dejarlas reposar por lo menos 4 horas, para que suelten todo su jugo.

▸ Escurrirlas muy bien y reservar el jugo para la salsa.

MASA

▸ Batir la manteca con el azúcar impalpable. Incorporar el huevo, la harina y la mitad del almidón. Dejar reposar durante 1 hora en la heladera.

▸ Dividir la masa en dos partes y estirarlas. Reservar una y con la otra forrar una tartera.

▸ Espolvorear el fondo con parte del almidón restante. Rellenar con las manzanas muy bien escurridas. Espolvorear con el resto del almidón. Cubrir con la masa reservada.

▸ Hacer una pequeña torzada con el sobrante de masa y decorar con ella el contorno del pastel. Pintar con huevo y leche.

▸ Cocinar durante 1 hora en horno de temperatura moderada.

SALSA

▸ Hervir la sidra junto con el jugo hasta que se forme un almíbar. Utilizar para salsear cada porción de pastel.

▸ Si se desea, completar con un suave copo de crema semibatida.

PASTELITOS DE MANZANAS

INGREDIENTES

250 gramos de harina

90 gramos de manteca

2 yemas

250 gramos de azúcar

1 cucharadita de canela molida

30 gramos de levadura

200 cc de leche

1 clara

500 gramos de manzanas pequeñas

aceite para freír

▶ Mezclar la harina con la manteca fundida, las yemas, el azúcar, la canela, la levadura disuelta en la leche tibia y la clara batida a nieve. Dejar leudar de 1 a 2 horas.

▶ Estirar la masa hasta dejarla de 2 mm de espesor; para evitar que se adhiera al palo de amasar, espolvorearla con harina mientras se trabaja.

▶ Cortar en cuadrados de 10 cm de lado. Ubicar un cuarto de manzana pelada sobre cada uno y plegar como un sobre.

▶ Freír en aceite caliente. Retirar con espumadera, escurrir sobre papel absorbente y presentar.

Incorpore humor a su vida.
Póngale una sonrisa, no
una carcajada.

PROFITEROLES VAINILLADOS

INGREDIENTES

PÂTE À CHOUX	CREMA PASTELERA
250 cc de leche	500 cc de leche
110 gramos de manteca	1 chaucha de vainilla
1 pizca de sal	6 yemas
1 cucharadita de azúcar	150 gramos de azúcar
140 gramos de harina	60 gramos de harina
5 huevos	25 gramos de manteca
	SALSA CARAMEL
	100 gramos de azúcar
	200 cc de crema de leche

PÂTE À CHOUX

▶ Precalentar el horno a 200°C.

▶ Hervir la leche con la manteca, la sal y el azúcar. Retirar, incorporar la harina de una sola vez y batir enérgicamente. Volver al fuego durante pocos segundos. Pasar a un bol. Incorporar los huevos de a uno y batir hasta obtener una pasta homogénea.

▶ Ponerla en una manga con boquilla lisa. Sobre una placa formar discos dobles de 3 cm de diámetro. Hornear durante 15 minutos, bajar la temperatura a 150°C y cocinar 10 minutos más. Retirar y dejar enfriar.

CREMA PASTELERA

▶ Hervir la leche con la chaucha de vainilla. Descartar la vainilla.

▶ Batir las yemas con el azúcar hasta que blanqueen. Agregar la harina en forma envolvente. Verter la leche hirviente y revolver sin cesar mientras se lleva al fuego durante 2 minutos. Retirar, incorporar la manteca en pequeños trozos, mezclar y dejar enfriar.

SALSA CARAMEL

▶ Fundir el azúcar. Añadir la crema y mezclar para disolver.

ARMADO

▶ Cortar una tapita a cada profiterol. Rellenar con la crema pastelera y colocar nuevamente la tapita. Servir sobre un espejo de salsa.

ROLLITOS DE DÁTILES

INGREDIENTES

500 gramos de harina 0000

100 gramos de manteca

100 cc de crema de leche

250 gramos de dátiles

250 gramos de nueces

2 cucharadas de canela molida

1 cucharadita de agua de azahar

▶ Unir la harina con la manteca y la crema. Amasar apenas.

▶ Estirar la masa con el palo de amasar, dándole forma rectangular, hasta dejarla lo más fina posible.

▶ Dividirla en tiras de aproximadamente 8 cm por el ancho del rectángulo.

▶ Picar los dátiles y las nueces. Mezclarlos. Perfumar con la canela y el agua de azahar.

▶ Cubrir cada tira de masa con el relleno de dátiles. Enrollar comenzando por uno de los lados largos. Marcar porciones oblicuas cada 3 ó 4 cm.

▶ Colocar los rollitos en una placa enmantecada.

▶ Hornear a temperatura moderada hasta secar la masa, sin que llegue a dorarse.

▶ Retirar, espolvorear con azúcar impalpable y cortar por las marcas.

Atención: comer postres, golosinas y tortas provoca más hambre. ¡Que pena!, ¿no?

TARTA DE SÉMOLA CON NUECES ACARAMELADAS

INGREDIENTES

MASA

250 gramos de harina

150 gramos de manteca

2 yemas

50 gramos de azúcar

50 gramos de nueces molidas

RELLENO

100 gramos de nueces

150 gramos de azúcar

40 cc de leche

55 gramos de sémola

35 gramos de manteca

1 huevo

esencia de vainilla

MASA

▸ Procesar todos los ingredientes juntos. Dejar descansar durante 1 hora.
▸ Estirarla y forrar una tartera. Hornear durante 10 minutos a temperatura moderada.

RELLENO

▸ Acaramelar las nueces con 100 gramos de azúcar. Reservar.
▸ Hervir la leche con el azúcar restante. Incorporar la sémola, cocinar de 5 a 6 minutos y retirar. Agregar poco a poco la manteca, las nueces acarameladas (guardar algunas para decorar) y el huevo. Aromatizar con la vainilla.
▸ Volcar sobre la masa precocida. Hornear durante 30 minutos a calor moderado. Retirar, dejar enfriar y desmoldar.
▸ Espolvorear con azúcar impalpable y decorar con las nueces que se habían guardado.

MUJER BONITA

MANJARES PARA SEDUCIR

ANILLO DE EMOCIONES

INGREDIENTES

30 gramos de manteca	**SALSA**
50 gramos de harina	30 gramos de manteca
250 cc de leche	1/2 cucharadita de páprika
500 gramos de filetes de merluza	30 gramos de harina
sin espinas	200 cc de caldo de verduras
2 huevos	1 copa de vino blanco o champaña
100 cc de crema de leche	100 gramos de camarones
sal	o centolla imitación
pimienta	5 cucharadas de crema de leche
	1 cucharada de *ciboulette* picada

▸ Para hacer una salsa blanca, derretir la manteca en una cacerola. Añadir la harina tamizada, revolver y retirar. Verter de golpe la leche caliente y batir con batidor de alambre. Volver al fuego hasta que hierva y espese. Retirar y dejar enfriar.

▸ Procesar el pescado junto con la salsa blanca, los huevos y la crema de leche. Salpimentar.

▸ Colocar la preparación en un molde savarin N° 24, enmantecado. Tapar con papel de aluminio.

▸ Hornear a baño de María alrededor de 40 minutos, hasta que esté firme.

SALSA

▸ Seguir el procedimiento que se explicó para la salsa blanca, sumando la páprika a la harina y reemplazando la leche por el caldo.

▸ En otro recipiente, con el vino o champaña, calentar los camarones o la centolla imitación. Incorporarlos a la salsa junto con la crema de leche, calentar y retirar. Desmoldar el anillo de pescado. Bañar con la salsa, espolvorear con la *ciboulette* y presentar.

ARROZ SENSUAL

INGREDIENTES

2 tazas de queso rallado
1 taza de crema de leche
1 vaso de cerveza
1 cucharadita de salsa inglesa
sal
pimienta
500 gramos de camarones
2 tazas de arroz cocido
1/2 taza de apio picado fino

▶ Colocar en una cacerola el queso rallado, la crema de leche y la cerveza. Mezclar muy bien.

▶ Llevar sobre fuego mediano. Revolver constantemente hasta que el queso se derrita y la textura resulte homogénea. Condimentar con salsa inglesa, sal y pimienta. Retirar.

▶ Añadir los camarones, el arroz y el apio. Integrar todo perfectamente.

▶ Extender la preparación en una asadera untada con manteca.

▶ Llevar a horno de temperatura moderada durante 30 minutos aproximadamente, hasta que la preparación adquiera consistencia cremosa, similar a la de un *risotto*.

Es bueno decirles "te quiero" a las personas que nos acompañan en todo momento.

BESUGO CON LIMONES CONFITADOS

INGREDIENTES

LIMONES CONFITADOS	BESUGO
3 limones	1 besugo de 1 kilo aproximadamente
sal marina	1 limón fresco
200 cc de aceite de oliva	tomillo
	laurel
	1/2 vaso de vino blanco
	sal
	pimienta

LIMONES CONFITADOS

▶ Lavar muy bien los limones. Cortarlos en rodajas de 1/2 cm de espesor. Quitarles las semillas.

▶ Dentro de un recipiente disponer las rodajas por capas, espolvoreándolas con sal marina. Tapar y dejar reposar durante 24 horas, para que suelten jugo.

▶ Escurrirlas y ubicarlas en un frasco. Añadir el aceite de oliva y controlar que las rodajas de limón queden cubiertas por completo.

▶ Estacionar en un lugar oscuro durante 7 días antes de utilizar.

BESUGO

▶ Comprar el pescado con cabeza y cola, pero sin escamas ni vísceras.

▶ Deslizar en el interior algunas rodajas de limones confitados.

▶ Lavar el limón fresco y cortarlo en rodajas finas. Acomodarlas en forma escalonada sobre el besugo. Sujetarlas con hilo.

▶ En una fuente térmica para horno y mesa colocar un lecho de limones confitados.

▶ Perfumar con tomillo y laurel. Apoyar encima el besugo. Bañar con el vino, salpimentar y rociar con un hilo de aceite.

▶ Llevar al horno precalentado a 210°C. Cocinar durante 20 minutos; cada tanto rociar el besugo con el líquido de la cocción.

BLANCO DE AVE SOBRE COULIS DE ARVEJAS

INGREDIENTES

4 medias pechugas de pollo deshuesadas, sin piel

1 copa de champaña

1 cucharada de mostaza de Dijon

jugo de 1 limón

2 cucharadas de manteca

100 cc de crema de leche

4 cebollas de verdeo

500 gramos de arvejas congeladas

1 cucharadita de azúcar

250 gramos de tomates *cherry*

- Marinar las pechugas con el champaña, la mostaza y el limón.
- Escurrirlas y reservar el líquido.
- Sellarlas de ambos lados en una sartén con la mitad de la manteca.
- Verter el líquido de la marinada. Dejar reducir de 5 a 10 minutos.
- Agregar la crema y completar la cocción durante pocos minutos más.
- Picar las cebollas de verdeo. Rehogarlas en el resto de la manteca.
- Incorporar las arvejas y el azúcar.
- Retirar, procesar y pasar por tamiz.
- Servir las pechugas sobre un espejo de *coulis* de arvejas.
- Completar con los tomates *cherry*.

BROCHETTES DE LANGOSTINOS CON SALSA AL CHAMPAÑA

INGREDIENTES

1/2 kilo de langostinos

jugo de 1/2 limón

100 gramos de panceta

1 cebolla

1 pimiento verde

sal

pimienta

manteca

SALSA

200 gramos de queso crema

1 copa de champaña

2 gotas de salsa tabasco

▸ Limpiar los langostinos, sin quitarles la cola. Rociarlos con el jugo de limón y reservarlos.

▸ Cortar la panceta, la cebolla y el pimiento en trozos no muy grandes.

▸ Armar las *brochettes* insertando los ingredientes en los pinchos en forma alternada.

▸ Salpimentar y pincelar con manteca derretida.

▸ Cocinar muy brevemente a la parrilla o en el horno, sobre una rejilla colocada dentro de una asadera.

SALSA

▸ Mezclar el queso crema con el champaña; debe resultar una crema de mediana consistencia. Condimentar con tabasco, sal y pimienta.

▸ Servir las *brochettes* calientes y la salsa fría, al costado.

BUDÍN REDONDITO SEDUCTOR

INGREDIENTES

500 gramos de fideos macarrones secos
sal gruesa
1 cebolla de verdeo
1 pimiento verde y 1 rojo
100 gramos de aceitunas negras descarozadas
150 gramos de jamón crudo cortado en juliana
1 taza de queso parmesano rallado
sal
pimienta
1 cucharadita de orégano
1 cucharada de *ciboulette* picada
3 huevos crudos

▶ Hervir los fideos en abundante agua con sal gruesa durante 5 minutos. Colarlos y pasarlos a un bol.

▶ Precalentar el horno a 160ºC.

▶ Picar la cebolla de verdeo. Cortar los pimientos en dados pequeños, las aceitunas en rodajas y el jamón en juliana. Mezclar todo con los fideos.

▶ Incorporar el queso parmesano rallado. Condimentar con sal, pimienta, orégano y *ciboulette*.

▶ Batir ligeramente los huevos crudos con pizcas de sal y pimienta. Añadirlos a la mezcla de fideos. Revolver para integrar.

▶ Colocar la preparación dentro de una budinera aceitada. Presionar y cubrir con papel de aluminio.

▶ Hornear a baño de María durante 35 minutos. Quitar el papel y cocinar 10 minutos más.

▶ Retirar, dejar entibiar y desmoldar sobre fuente. Acompañar con salsa de tomates o bechamel.

CALAMARES RELLENOS CON TAPENADE

INGREDIENTES

200 gramos de aceitunas negras descarozadas

2 cucharadas de vinagre de manzana

200 cc de aceite de oliva

1 diente de ajo

tomillo

pimienta

500 gramos de calamares chicos

4 tomates bien maduros

sal

▶ Calentar el horno a 170°C.

▶ Para la *tapenade* procesar las aceitunas con el vinagre, 100 cc de aceite de oliva, el ajo, tomillo y pimienta hasta obtener una pasta homogénea. Reservarla.

▶ Elegir calamares de 10 cm de largo. Limpiarlos, enjuagarlos y escurrirlos.

▶ En una sartén antiadherente verter 1 cucharada de aceite de oliva. Incorporar los calamares, tapar y cocinar durante 6 minutos, hasta que suelten líquido. Retirarlos y escurrirlos.

▶ Rellenar los calamares con la *tapenade*. Cerrar con palillos aceitados.

▶ Acomodarlos en una fuente térmica y hornearlos durante sólo 5 minutos.

▶ Mientras tanto pelar los tomates y quitarles las semillas. Procesarlos con sal y el aceite de oliva restante, para obtener un *coulis*.

▶ Presentar los calamares sobre un espejo de *coulis* de tomates.

FANTASÍA ORIENTAL

INGREDIENTES

500 gramos de carré de cerdo

2 zanahorias

1 pimiento verde

2 puerros

1 pocillo de aceite

caldo de verduras

150 gramos de brotes de soja

salsa de soja

jengibre fresco

▸ Cortar en tiras el carré, las zanahorias, el pimiento y los puerros.

▸ Calentar el aceite en un *wok* o sartén grande.

▸ Añadir el carré y dorarlo rápidamente.

▸ Incorporar las zanahorias y el pimiento y saltearlos.

▸ Agregar el caldo caliente, los puerros y los brotes de soja.

▸ Condimentar con salsa de soja y jengibre rallado.

▸ Retirar del fuego y servir enseguida.

No pierda el romanticismo. Anímese y prepárele a su "bomboncito" una cena a la luz de las velas.

LOMO EN CROÛTE CON ZANAHORIAS CONFITADAS

INGREDIENTES

masa igual a la de la frola de berenjenas (pág. 119)	pimienta
3 rebanadas de pan lácteo	1 atado de espárragos
manteca para untar y saltear	200 gramos de queso de máquina
1 kilo de lomo	1 huevo
aceite de oliva	8 zanahorias
2 *échalotes*	1 taza de azúcar
sal	100 cc de agua
	1 pizca de comino

▶ Estirar la masa formando un rectángulo. Reservarla en la heladera.

▶ Untar con manteca las rebanadas de pan. Tostarlas y dejarlas enfriar.

▶ Sellar el lomo en aceite de oliva, junto con las *échalotes* picadas. Retirarlo, salpimentarlo y dejarlo enfriar.

▶ Blanquear los espárragos dándoles un hervor breve y sumergiéndolos enseguida en agua fría. Escurrirlos muy bien. Saltearlos en manteca. Salpimentarlos y envolver cada uno con una tajada de queso. Pasarlos por el huevo ligeramente batido.

▶ Retirar de la heladera la masa estirada. Colocar en el centro las tostadas, sobre ellas el lomo y encima los espárragos envueltos. Doblar la masa para encerrar el conjunto y lograr un paquete.

▶ Ubicar en una placa y cocinar durante 35 minutos en horno de temperatura moderada.

▶ Con el pelapapas cortar las zanahorias en cintas.

▶ En una sartén hacer un caramelo con el azúcar, 1 cucharada de agua y el comino. Cuando tome color incorporar el resto del agua y las zanahorias. Cocinar de 3 a 4 minutos.

▶ Presentar el lomo en *croûte* en una fuente ovalada, con las zanahorias confitadas alrededor.

Lomo Seductor

INGREDIENTES

6 rebanadas de pan lácteo

100 gramos de manteca

12 corazones de alcauciles al natural

1 cucharada de harina

6 bifes de lomo de 100 gramos cada uno

2 cucharadas de aceite

SALSA BEARNESA

1 vaso de vinagre

2 *échalotes*

1 diente de ajo

estragón

3 yemas

150 gramos de manteca

‣ Untar con manteca las rebanadas de pan, tostarlas y cortarlas en forma circular.

‣ Escurrir los corazones de alcauciles, pasarlos apenas por la harina y saltearlos en la manteca restante.

‣ Cocinar los bifes de lomo sobre una plancha caliente, untada con el aceite. Retirarlos y salpimentarlos.

‣ Disponer cada bife sobre una tostada, salsear y acompañar con los alcauciles.

Salsa bearnesa

‣ Colocar en una cacerola chica el vinagre, las *échalotes*, el ajo y el estragón. Llevar sobre fuego suave alrededor de 20 minutos, hasta que el vinagre se reduzca a la mitad.

‣ Tamizar la reducción. Ponerla en un bol, junto con las yemas. Llevar sobre baño de María y revolver constantemente mientras se agrega poco a poco la manteca cortada en trozos. Retirar.

‣ Salpimentar, perfumar con estragón picado y utilizar.

MILHOJAS CROCANTES DE PARMESANO Y CAMARONES

INGREDIENTES

200 gramos de queso parmesano

3 puerros

1 diente de ajo

3 cucharadas de aceite de oliva

250 gramos de camarones

50 cc de crema de leche

▶ Calentar una sartén antiadherente. Disponer en ella 3 ó 4 montañitas de parmesano recién rallado, separadas unas de otras.

▶ Aplastarlas ligeramente con el dorso de una cuchara.

▶ Mantener sobre fuego suave hasta que el queso se funda y forme galletitas.

▶ Darlas vuelta con cuidado y dorarlas del otro lado.

▶ Retirarlas y reservarlas en un lugar seco para que se conserven crocantes. Repetir la operación hasta terminar con el parmesano.

▶ Cortar los puerros en juliana y el ajo en láminas.

▶ Rehogarlos juntos en el aceite de oliva.

▶ Incorporar los camarones y la crema. Cocinar brevemente y retirar.

▶ Armar las milhojas en los platos, intercalando la preparación de camarones entre las galletitas de parmesano. Servir de inmediato.

Para las reconciliaciones, nada mejor que el plato preferido de su amor. ¡No falla!

MOLLEJAS AL LIMÓN CON ESPINACA A LA CREMA

INGREDIENTES

400 gramos de mollejas
1 cucharada de vinagre de alcohol
50 gramos de azúcar
1 limón
500 gramos de espinaca
30 gramos de manteca
3 cucharadas de crema de leche

▸ Ubicar las mollejas en una cacerola. Cubrirlas con agua fría y añadir el vinagre. Llevar al fuego y hervir durante 3 minutos. Dejarlas enfriar antes de escurrirlas. Retirar cuidadosamente la membrana que las recubre.

▸ Hervir 100 cc de agua con el azúcar hasta obtener un almíbar liviano.

▸ Pelar el limón a vivo (quitando la parte blanca junto con la corteza). Cortarlo en rodajas.

▸ Confitarlo en el almíbar durante 10 minutos.

▸ Cocinar la espinaca al vapor y reservarla.

▸ Fundir la manteca en una sartén. Añadir las mollejas y cocinar durante 20 minutos.

▸ En otra sartén calentar la crema junto con 2 cucharadas de agua. Agregar el limón confitado y 2 cucharadas del almíbar. Cocinar durante 5 minutos, para obtener la salsa.

▸ Cortar las mollejas en tajadas. Acompañarlas con la espinaca y salsear ambas preparaciones.

PECHUGAS RELLENAS CON PESTO

INGREDIENTES

1 atado de albahaca

1 diente de ajo

1/2 taza de aceite de oliva

1/2 taza de nueces

1/2 taza de queso parmesano rallado

4 medias pechugas de pollo deshuesadas, sin piel

sal

pimienta

harina

2 cucharadas de aceite

1 cucharada de manteca

1 vaso de vino blanco

▶ Hacer el pesto licuando la albahaca junto con el ajo, el aceite de oliva, las nueces y el queso.

▶ Abrir las pechugas y aplastarlas con el palote de amasar para que resulten finas. Salpimentarlas.

▶ Cubrirlas con el pesto y enrollar. Reservarlas en la heladera durante 1 hora.

▶ Pasar las pechugas por harina. Saltearlas en la mezcla de aceite y manteca hasta que tomen color en toda su superficie.

▶ Verter el vino, tapar y cocinar a fuego suave durante 20 minutos.

▶ Cortar cada suprema en tres partes y servir con guarnición de vegetales salteados en aceite de oliva.

POLLO RELLENO CON PELONES

INGREDIENTES

1 pollo deshuesado	3 pelones
sal	1 cucharada de vino blanco
pimienta	2 cucharadas de miel
1 *échalote*	3 huevos
2 cucharadas de manteca	1 taza de queso rallado
100 gramos de panceta ahumada	50 gramos de nueces
1 taza de cubitos de pan lácteo	1/2 sobre de gelatina sin sabor

▶ Salpimentar el pollo. Coser todas las aberturas, excepto una para poder rellenarlo.

▶ Picar la *échalote* y rehogarla en 1 cucharada de manteca. Untar el pollo por dentro y por fuera con esta preparación.

▶ Picar la panceta y saltearla en una sartén antiadherente, limpia, hasta que esté dorada. Escurrir la grasa, retirar la panceta y reservarla. Saltear en la misma sartén los cubitos de pan, hasta que tomen color.

▶ Pelar los pelones y cortarlos en rodajas finas. Cocinarlos durante 2 minutos con la manteca restante, el vino y 1 cucharada de miel. Retirar y mezclar con los huevos, la panceta, el pan, el queso rallado y las nueces picadas. Espolvorear con la gelatina.

▶ Rellenar el pollo con la mezcla, coser la abertura restante y atarlo para darle buena forma. Untarlo con el resto de la miel y salpimentarlo. Ubicarlo en una asadera y tapar con papel de aluminio.

▶ Cocinar en horno precalentado durante 45 minutos. Quitar el papel y continuar la cocción 45 minutos más. Retirar, descartar los hilos y cortar en tajadas.

▶ Servir caliente o frío. Acompañar con una ensalada de lechuga o berro y pelones, aderezada con sal, aceto balsámico y aceite de oliva.

POLLO ROMÁNTICO

INGREDIENTES

1 pollo grande
sal
pimienta
1 cebolla chica
3 cucharadas de aceite
4 manzanas ácidas
1 vaso de vino blanco seco
1 cucharadita de canela molida
tomillo
2 clavos de olor

▸ Precalentar el horno a 200°C.

▸ Trozar el pollo en octavos. Sazonar las presas. Acomodarlas en una asadera, cubrirlas con la cebolla picada y rociarlas con el aceite.

▸ Cocinar en el horno durante 15 minutos, hasta que estén doradas.

▸ Mientras tanto lavar muy bien las manzanas. Quitarles los centros pero no la cáscara. Cortarlas en cuartos y filetearlas.

▸ Retirar la asadera horno. Distribuir las manzanas sobre el pollo y bañar con el vino blanco. Aromatizar con la canela, el tomillo y los clavos de olor.

▸ Volver al horno y completar la cocción durante 25 minutos más.

▸ Servir el pollo con las manzanas de la cocción. Acompañar con perlas de zanahorias cocidas al vapor y salteadas en manteca.

ROLLITOS DE BERENJENAS

INGREDIENTES

1 y 1/2 kilo de berenjenas

sal gruesa

2 tazas de vinagre de vino blanco

2 tazas de aceite de oliva

2 dientes de ajo

romero

tomillo

100 gramos de aceitunas negras

100 gramos de castañas de Cajú

▶ Pelar las berenjenas y cortarlas a lo largo en tajadas finas.

▶ Acomodarlas en un colador y espolvorearlas con sal gruesa. Dejarlas reposar durante 1 hora. Enjuagarlas.

▶ Pasarlas rápidamente por agua hirviente acidulada con el vinagre. Escurrirlas y dejarlas enfriar.

▶ Ubicarlas por capas dentro de un recipiente, intercalando el aceite de oliva, el ajo cortado en láminas, romero y tomillo frescos. Dejar reposar durante 2 días.

▶ Extender las tajadas de berenjenas sobre una fuente plana. Colocar sobre ellas, en un extremo, aceitunas descarozadas y castañas de Cajú. Enrollar.

▶ Servir como entrada o como guarnición de carnes asadas.

TERRINA HAWAIANA

INGREDIENTES

3 cucharadas de azúcar

1 lata de ananá

200 gramos de jamón cocido

100 gramos de queso de máquina

2 cucharadas de manteca

2 cucharadas de harina

1 taza de leche

4 puerros

1 cucharada de manteca

1 lata de choclo

100 gramos de queso rallado

2 huevos

▸ Utilizar un molde de cerámica para terrina. Colocar dentro el azúcar. Microondear durante 2 minutos al máximo, para obtener un caramelo claro.

▸ Escurrir las rodajas de ananá. Disponerlas en el fondo del molde, sobre el caramelo.

▸ Forrar los costados con lonjas de jamón y después con tajadas de queso de máquina.

▸ Colocar la manteca, la harina y la leche en un recipiente de vidrio. Microondear durante 3 minutos al máximo, revolviendo cada minuto, para obtener una salsa blanca.

▸ En otro recipiente ubicar los puerros picados junto con la manteca. Microondear durante 2 minutos al máximo.

▸ Unir la salsa blanca con los puerros, el choclo escurrido, el queso rallado y los huevos. Colocar la preparación dentro del molde. Microondear durante 5 minutos al 50% y 8 minutos más al 70%. Retirar y desmoldar en caliente.

TORTA DE CHOCLO Y CAMARONES

INGREDIENTES

MASA PHILO	3 puerros
200 gramos de harina	75 gramos de manteca
1 cucharada de vinagre	1 cucharada de harina
1 cucharada de aceite	1/2 taza de leche
125 cc de agua	1 lata de choclo en granos
1/2 cucharada de sal	1 taza de queso rallado
RELLENO	3 huevos
250 gramos de camarones	ADEMÁS
1 cucharada de aceite de oliva	almidón de maíz
1 diente de ajo	75 gramos de manteca clarificada
1 pizca de pimentón	(pág. 88)

MASA PHILO

▶ Procesar todos los ingredientes juntos. Reservar en la heladera 24 horas.

RELLENO

▶ Saltear rápidamente los camarones en el aceite de oliva, junto con el ajo picado y el pimentón. Reservar.

▶ Picar los puerros y rehogarlos en la manteca. Agregar la harina, mezclar y verter la leche. Dejar que espese y retirar. Incorporar el choclo escurrido, los camarones al ajillo (guardar 6 para decorar) y el queso. Unir con los huevos.

ARMADO

▶ Dividir la masa en 6 bollitos. Aplanarlos, espolvorearlos generosamente con almidón de maíz y encimarlos. Pasar el palote sobre la pila para estirar todos los bollitos al mismo tiempo, hasta dejarlos finos como hojas de papel. Cubrir con un repasador para evitar que se sequen.

▶ Pincelar las hojas de masa con la manteca clarificada. Superponer tres de ellas. Forrar una tortera desmontable.

▶ Colocar el relleno y tapar con dos hojas de masa. Ubicar arriba, en forma decorativa, los camarones reservados. Cubrir con la última hoja de masa. Hornear durante 30 minutos a calor moderado. Retirar y presentar.

ANTOJO DE FRUTILLAS

INGREDIENTES

1/2 kilo de frutillas

1 y 1/2 taza de azúcar

jugo de 1 limón

1 sobre de gelatina sin sabor

1 cucharadita de almidón de maíz

1 litro de crema de leche

2 discos de merengue de 22 cm de diámetro

▶ Cortar una tira de acetato de 7 cm de ancho por 60 cm de largo. Unir los extremos, encimándolos lo necesario para forma un aro de 18 cm de diámetro. Pegar con cinta adhesiva.

▶ Elegir 1/4 kilo de las frutillas más grandes y parejas. Cortarlas por el medio.

▶ Licuar las demás frutillas con 1/2 taza de azúcar y el jugo de limón. Pasar a una cacerola. Incorporar la gelatina y el almidón. Calentar hasta que espese.

▶ Batir la crema a punto chantillí con el azúcar restante. Reservar la mitad.

▶ Mezclar el resto de la crema con 1 disco de merengue triturado y 2/3 del licuado de frutillas.

▶ Apoyar el aro de acetato sobre el otro disco de merengue, entero. Disponer en el contorno frutillas en mitades, dejando la parte cortada en contacto con la cara interna del aro de acetato.

▶ Rellenar con la mezcla de crema, merengue triturado y licuado de frutillas. Volcar encima el resto del licuado.

▶ Llevar a la heladera por lo menos 2 horas, hasta que la gelatina solidifique.

▶ Quitar el acetato. Decorar la base del postre con la crema reservada, puesta en manga con pico rizado, y el resto de las frutillas en mitades.

BLANC MANGER DE PERAS

INGREDIENTES

PERAS AL VINO BLANCO	1 chaucha de vainilla
1 taza de azúcar	3 yemas
2 tazas de vino blanco	2 sobres de gelatina sin sabor
3 peras firmes	1 cucharada de kirsch
1 limón	250 cc de crema de leche
CREMA ALMENDRADA	ADEMÁS
250 cc de leche	50 gramos de almendras fileteadas
100 gramos de azúcar	y tostadas
100 gramos de almendras molidas	

PERAS AL VINO BLANCO

‣ Hacer un almíbar con el azúcar y el vino.
‣ Pelar las peras, cortarlas por la mitad y frotarlas con el limón partido.
‣ Incorporarlas al almíbar y cocinar durante 15 minutos. Escurrirlas y dejarlas enfriar.

CREMA ALMENDRADA

‣ Hervir la leche con 1 cucharada de azúcar, las almendras molidas y la chaucha de vainilla. Retirar del fuego, dejar enfriar y colar.
‣ En un bol batir las yemas con el resto del azúcar hasta que tomen cuerpo.
‣ Calentar la leche durante 1 minuto y verterla sobre las yemas, sin dejar de batir.
‣ Hidratar la gelatina en un poco de agua mezclada con el *kirsch* y añadirla.
‣ Ubicar el bol dentro de otro que contenga agua helada. Dejar enfriar la preparación.
‣ Batir la crema de leche y agregarla con suavidad.

ARMADO

‣ Enmantecar un molde redondo y espolvorearlo con azúcar impalpable. Colocar en el fondo las peras, con la cavidad hacia abajo. Cubrir con la crema almendrada.
‣ Llevar a la heladera durante 2 horas como mínimo. Desmoldar y decorar con las almendras fileteadas y tostadas.

COPAS DE LA VIÑA

INGREDIENTES

500 gramos de uvas verdes

300 cc de vino moscato

100 gramos de miel

jugo de 1 limón

3 yemas

200 cc de crema de leche

80 gramos de azúcar

▶ Separar las uvas de los racimos. Quitarles las semillas con ayuda de una aguja para crochet. Enjuagarlas.

▶ Ubicarlas en una cacerola con el vino, la miel y el jugo de limón. Cocinarlas a fuego mínimo durante 10 minutos.

▶ Escurrirlas y guardar el líquido. Pelarlas con un cuchillo de punta. Reservarlas.

▶ Batir las yemas junto con la crema y el azúcar. Agregar el líquido de la cocción de las uvas.

▶ Llevar sobre baño de María suave y batir continuamente hasta espesar.

▶ Servir en copas y completar con las uvas reservadas.

▶ Si se desea, escarchar pequeños racimos de uvas negras o rosadas pasándolos por clara sin batir y azúcar molida. Dejar orear y decorar las copas.

> Hay que aprender a comer para vivir y no vivir para comer. Ya sé que es difícil, pero ¡no se rinda!

DELICIA DE SABAYÓN Y CHOCOLATE

INGREDIENTES

BIZCOCHUELO DE CHOCOLATE	
7 huevos	250 gramos de azúcar
200 gramos de azúcar	250 cc de vino dulce o champaña
200 gramos de harina	1 sobre de gelatina sin sabor
50 gramos de cacao amargo	250 cc de crema de leche
50 gramos de manteca	2 claras
MOUSSE DE SABAYÓN	GANACHE
6 yemas	200 gramos de chocolate
	200 cc de crema de leche

BIZCOCHUELO DE CHOCOLATE

▸ Batir los huevos con el azúcar. Incorporar en forma envolvente la harina tamizada con el cacao. Añadir la manteca derretida.

▸ Colocar en un molde de 24 cm de diámetro, enmantecado y enharinado.

▸ Cocinar en horno de temperatura moderada durante 30 minutos. Retirar, desmoldar y dejar enfriar.

MOUSSE DE SABAYÓN

▸ Batir las yemas con el azúcar a baño de María. Verter el vino o el champaña y seguir batiendo hasta que la preparación duplique su volumen. Retirar del baño.

▸ Hidratar la gelatina en una pequeña cantidad extra de vino o champaña y agregarla.

▸ Batir la crema a medio punto e incorporarla con suavidad.

▸ Batir las claras a nieve y agregarlas con movimientos envolventes.

GANACHE

▸ Fundir el chocolate junto con la crema.

ARMADO

▸ Ahuecar el bizcochuelo, haciendo un corte cerca del contorno y quitando la miga del centro. Rellenar con la *mousse*.

▸ Refrigerar durante 2 horas como mínimo. Cubrir con la *ganache* y volver a la heladera hasta el momento de servir.

FLAN AL CHAMPAÑA

INGREDIENTES

125 gramos de sémola

150 cc de agua

250 cc de champaña brut

360 gramos de azúcar

20 cc de licor de naranjas

ralladura de 1 naranja

2 huevos

100 gramos de pasas de uva rubias sin semillas

5 claras

1 pizca de sal

2 cucharaditas de jugo de limón

manteca y azúcar impalpable para los moldes

▸ Colocar la sémola en una cacerola. Cubrirla con el agua y el champaña. Cocinar a fuego mínimo de 4 a 5 minutos, sin dejar de revolver.

▸ Agregar 300 gramos de azúcar, el licor, la ralladura y 1 huevo. Cocinar durante 5 minutos más, siempre a fuego muy bajo. Retirar.

▸ Incorporar las pasas y el huevo restante. Dejar enfriar durante 1 hora a temperatura ambiente.

▸ Batir las claras con la sal y el jugo de limón. Añadir 30 gramos de azúcar y seguir batiendo hasta obtener un merengue. Incorporar el azúcar restante al final del batido.

▸ Mezclar 1/3 del merengue con la sémola, para aligerar la consistencia, y luego agregar el resto delicadamente, con una espátula.

▸ Precalentar el horno a 180ºC.

▸ Distribuir la preparación en 6 moldes individuales enmantecados y espolvoreados con azúcar impalpable.

▸ Hornear a baño de María durante 1 y 1/2 hora.

▸ Retirar y esperar 10 minutos antes de desmoldar. Dejar enfriar por completo.

▸ Si se desea, espolvorear la superficie con azúcar y acaramelar en el grill de 3 a 4 minutos.

▸ Servir frío, con *coulis* de frutillas.

Lemon pie

INGREDIENTES

MASA SABLÉE	150 gramos de azúcar
125 gramos de manteca	3 huevos
60 gramos de azúcar impalpable	200 gramos de manteca
125 gramos de harina	200 gramos de crema de leche
1 yema	MERENGUE
100 gramos de almidón de maíz	4 claras
CREMA DE LIMÓN	400 gramos de azúcar
jugo y ralladura de 2 limones	100 cc de agua

MASA SABLÉE

▸ Procesar la manteca con el azúcar impalpable y la harina. Agregar la yema y procesar de nuevo hasta unir.

▸ Pasar la masa a un bol. Añadir el almidón y amasar hasta lograr una textura lisa.

▸ Estirar la masa y forrar una tartera enmantecada y enharinada. Llevar a la heladera durante 20 minutos.

▸ Cocinar en horno de temperatura moderada hasta que se dore ligeramente.

▸ Retirar, dejar enfriar, desmoldar y reservar.

CREMA DE LIMÓN

▸ Colocar en una cacerola el jugo y la ralladura de limón, el azúcar y los huevos. Llevar sobre fuego suave y revolver hasta que la preparación nape la cuchara. Retirar.

▸ Agregar la manteca cortada en cubos y mezclar hasta que se funda. Dejar enfriar.

▸ Batir la crema a medio punto e incorporarla.

▸ Rellenar la masa cocida y reservar en la heladera.

MERENGUE

▸ Batir las claras a nieve. Incorporar en forma de lluvia 1/3 del azúcar.

▸ Con el resto del azúcar y el agua hacer un almíbar a punto bolita dura. Verterlo sobre las claras, en forma de hilo y sin dejar de batir.

▸ Colocar el merengue en una manga y decorar la tarta. Gratinar en horno bien caliente.

NOUGAT GLACÉ AL CHOCOLATE

INGREDIENTES

150 gramos de chocolate

25 gramos de manteca

50 gramos de almendras peladas

3 claras

120 gramos de miel

100 cc de crema de leche

aceite de sabor neutro para el molde

▶ Trozar el chocolate. Colocarlo en un tazón, junto con la manteca. Fundirlo a baño de María, o en microondas durante 1 minuto y 30 segundos al 50%.

▶ Tostar las almendras. Dejarlas enfriarlas, picarlas y añadirlas al chocolate fundido.

▶ Batir las claras a nieve.

▶ Calentar la miel hasta que comience a tomar un color más oscuro.

▶ Verterla sobre las claras. Seguir batiendo hasta entibiar, para obtener un merengue.

▶ Agregar al merengue la mezcla de chocolate y almendras.

▶ Batir la crema bien fría a punto chantilli. Incorporarla con suaves movimientos envolventes.

▶ Disponer la preparación en una budinera aceitada.

▶ Llevar a la heladera por lo menos 8 horas.

PETITS FOURS ALMENDRADOS

INGREDIENTES

250 gramos de pasta de almendras

10 claras

150 gramos de almendras picadas

▸ Procesar la pasta de almendras junto con las claras.
▸ Tomar pequeñas porciones, darles forma esférica y hacerlas rodar sobre las almendras picadas. Apoyarlas sobre una placa.
▸ Cocinar durante 5 minutos en el horno a 220°C.
▸ Presentar en pirotines, para la sobremesa.

MERENGUES CON CIRUELAS

INGREDIENTES

250 gramos de ciruelas pasa

250 gramos de nueces

6 claras

1 taza de azúcar

▸ Picar finamente las ciruelas y las nueces. Reservar.
▸ Batir las claras a nieve. Agregar el azúcar poco a poco. Continuar batiendo hasta lograr un merengue muy consistente. Incorporar suavemente las nueces y las ciruelas.
▸ Con una cucharita formar merengues pequeños sobre una placa enmantecada y enharinada. Secar en el horno, a calor mínimo y con la puerta entreabierta, durante aproximadamente 1 y 1/2 hora.
▸ Retirar, dejar enfriar y colocar en pirotines. Servir con el café.

PUDDING A LA MERMELADA DE NARANJAS

INGREDIENTES

50 gramos de manteca para el molde

5 cucharadas de mermelada de naranjas

100 gramos de harina leudante

2 huevos

3 cucharadas de leche

8 rebanadas de pan lácteo

100 gramos de manteca derretida

30 gramos de azúcar

▶ Enmantecar generosamente un molde para *pudding*.

▶ Untar el fondo con 2 cucharaditas de mermelada.

▶ En un bol combinar la harina con los huevos y la leche.

▶ Incorporar las rebanadas de pan cortadas en trozos y la manteca derretida.

▶ Añadir el azúcar y el resto de la mermelada.

▶ Mezclar enérgicamente para integrar todo.

▶ Colocar la preparación dentro del molde.

▶ Cubrir con papel siliconado enmantecado.

▶ Hornear a 280°C, a baño de María, durante 20 minutos.

▶ Retirar, desmoldar y dejar enfriar.

Si los adolescentes atacan la heladera, no se desespere. Recuerde que están en edad de crecimiento.

SABAYÓN IRRESISTIBLE

INGREDIENTES

4 yemas

4 medidas de azúcar

4 medidas de licor *amaretto*

30 *amaretti* chicos (pág. 66)

▶ Utilizar 1/2 cáscara de huevo como medida para el azúcar y el licor.
▶ Colocar en un bol las yemas y el azúcar.
▶ Llevar sobre baño de María y batir enérgicamente.
▶ Cuando los ingredientes comiencen a integrarse, verter el licor.
▶ Seguir batiendo hasta obtener una espuma aireada y consistente.
▶ Distribuir el sabayón caliente en copas de boca ancha.
▶ Espolvorear con los *amaretti* molidos y servir de inmediato.

Escuchar música suave y relajante durante la comida ayuda a distenderse y favorece la digestión.

TARTA DE CASTAÑAS

INGREDIENTES

MASA
100 gramos de manteca
200 gramos de harina
75 gramos de azúcar impalpable
1 yema
RELLENO
250 gramos de castañas en almíbar
200 cc de crema de leche
2 claras
150 gramos de manteca
150 gramos de azúcar
2 yemas
esencia de vainilla
canela molida
licor de naranjas

MASA
▶ Unir rápidamente todos los ingredientes. Dejar reposar durante 1 hora en la heladera.
▶ Estirar la masa y forrar una tartera. Hornear durante 10 minutos.

RELLENO
▶ Escurrir las castañas y procesarlas para obtener un puré.
▶ Batir la crema a medio punto y las claras a nieve, por separado.
▶ Batir la manteca con el azúcar, las yemas, la vainilla y la canela.
▶ Unir el puré de castañas con la crema, las claras y la preparación de manteca y yemas.
▶ Rellenar la masa precocida y hornear durante 50 minutos más.
▶ Retirar, rociar con el licor y espolvorear con azúcar impalpable.

TORTA DE AVELLANAS Y FRUTILLAS

INGREDIENTES

GENOISE DE AVELLANAS	250 cc de crema de leche
4 huevos	400 gramos de queso crema
125 gramos de azúcar	1 sobre de gelatina sin sabor
50 gramos de avellanas molidas	1/2 copita de *kirsch*
75 gramos de harina	CUBIERTA
25 gramos de almidón de maíz	300 gramos de frutillas
CREMA DE QUESO	1 cucharadita de almidón de maíz
6 yemas	1 sobre de gelatina sin sabor
200 gramos de azúcar	1/2 copita de *kirsch*

GENOISE DE AVELLANAS

▸ Batir los huevos con el azúcar a baño de María. Agregar las avellanas y la harina tamizada con el almidón.

▸ Colocar en un molde desmontable de 24 cm de diámetro, enmantecado y enharinado.

▸ Hornear durante 25 minutos a temperatura moderada. Retirar, desmoldar y dejar enfriar.

CREMA DE QUESO

▸ Batir las yemas con el azúcar hasta blanquear.

▸ Incorporar la crema semibatida, el queso crema y la gelatina hidratada en el *kirsch*.

CUBIERTA

▸ Licuar las frutillas, pasarlas por tamiz y ponerlas en una cacerolita junto con el almidón. Llevar a ebullición. Retirar del fuego y añadir la gelatina hidratada en el *kirsch*.

ARMADO

▸ Colocar la *genoise* dentro del mismo molde donde se había horneado. Disponer la crema de queso y alisar. Completar con la cubierta. Llevar a la heladera por lo menos 2 horas antes de desmoldar.

MEJOR IMPOSIBLE

COCINA SALUDABLE

ALCAUCILES AGRIDULCES

INGREDIENTES

1 cucharada de harina

3 cucharadas de vinagre de vino

1 kilo de alcauciles

1 cebolla

2 dientes de ajo

3 cucharadas de aceite de oliva

sal

1 pizca de pimienta de Cayena

400 cc de agua hirviente

2 cucharadas de alcaparras

2 cucharadas de miel

▶ Hidratar la harina en el vinagre. Verterla dentro de un bol con agua fría.

▶ Para limpiar los alcauciles, quitarles las hojas externas. Cortarlos en cuartos. Eliminar la pelusa del centro. Sumergirlos en el bol, para evitar que se oscurezcan.

▶ Picar finamente la cebolla y el ajo. Rehogarlos en una cacerola con el aceite de oliva.

▶ Añadir los alcauciles escurridos. Sazonar con sal y pimienta de Cayena.

▶ Agregar el agua hirviente y cocinar durante 20 minutos.

▶ Incorporar las alcaparras y la miel.

▶ Revolver y completar la cocción durante 5 minutos más.

BOLSILLO DE MATAMBRE

INGREDIENTES

1 matambre de ternera
sal
pimienta
2 cebollas
2 pimientos rojos
2 dientes de ajo
200 gramos de queso *port salut*
romero
3 claras
2 cucharadas de aceite de oliva
2 tazas de caldo desgrasado

▶ Precalentar el horno a 160°C.

▶ Extender el matambre sobre la mesada, desgrasarlo con un cuchillo filoso y salpimentarlo.

▶ Cortar las cebollas en juliana, los pimientos en dados pequeños y el ajo en láminas. Esparcir todo sobre la mitad de la superficie del matambre.

▶ Distribuir encima el queso en trozos chicos. Espolvorear con romero.

▶ Batir ligeramente las claras. Verterlas en forma pareja sobre el relleno.

▶ Doblar el matambre para formar un bolsillo. Coser los bordes.

▶ Acomodar el matambre en una asadera. Rociarlo con el aceite de oliva. Colocar el caldo en el fondo.

▶ Hornear durante 40 minutos; darlo vuelta a mitad de la cocción.

▶ Servir con una ensalada de hojas verdes.

BUDÍN DE ZANAHORIAS

INGREDIENTES

1 kilo de zanahorias

1/2 taza de leche descremada

1 cebolla

aceite para rehogar

300 gramos de queso blanco

1 huevo

4 claras

sal

pimienta

nuez moscada

rocío vegetal

▶ Precalentar el horno a 160ºC.

▶ Pelar las zanahorias y cortarlas en trozos medianos. Colocarlas en una cacerola, cubrirlas con agua y hervirlas hasta que estén tiernas.

▶ Escurrirlas, procesarlas junto con la leche y reservarlas.

▶ Picar la cebolla y rehogarla en aceite hasta que resulte blanda y transparente.

▶ Colocar en un bol las zanahorias procesadas, la cebolla y el queso blanco. Mezclar con cuchara de madera para integrar todo.

▶ Unir con el huevo y las claras. Sazonar con sal, pimienta y nuez moscada.

▶ Colocar la preparación en un molde para budín inglés forrado con papel parafinado en la base y humedecido con rocío vegetal.

▶ Hornear a baño de María durante 50 minutos. Retirar y dejar entibiar antes de desmoldar.

▶ Si se desea, presentar con salsa de tomates natural.

BUDÍN LIGERO

INGREDIENTES

500 gramos de zapallitos

500 gramos de zanahorias

6 claras

400 gramos de queso untable bajas calorías

2 cucharadas de almidón de maíz

4 cucharadas de queso rallado

sal

pimienta

nuez moscada

3 cucharadas de mayonesa *diet*

orégano

estragón

albahaca

1 cucharada de vino blanco

▶ Pelar y cortar en cubos pequeños los zapallitos y las zanahorias. Hervirlos por separado, escurrirlos y dejarlos enfriar.

▶ Procesar cada vegetal junto con 3 claras, 200 gramos de queso untable, 1 cucharada de almidón de maíz y 2 cucharadas de queso rallado. Condimentar con sal, pimienta y nuez moscada.

▶ Forrar con film un molde alargado. Colocar en el fondo la preparación de zanahorias y arriba la de zapallitos.

▶ Cocinar a baño de María, en el horno precalentado a calor moderado, durante 50 minutos.

▶ Retirar, dejar enfriar y desmoldar.

▶ Enriquecer la mayonesa con las hierbas finamente picadas, aligerarla con el vino y salsear el budín.

CUADRIL CON HABAS A LA PROVENZAL

INGREDIENTES

800 gramos de cuadril

1 y 1/2 litro de agua

1 cebolla grande

4 clavos de olor

1 zanahoria

1 rama de apio

1 rodaja de limón

150 cc de vino blanco

500 gramos de habas peladas

(pueden ser congeladas)

4 cucharadas de aceite de oliva

2 dientes de ajo

1 ramo de perejil

sal

pimienta

▶ Colocar la carne en una cacerola grande. Cubrirla con el agua fría. Llevar a hervor y espumar.

▶ Incorporar la cebolla entera con los clavos de olor insertados. Añadir la zanahoria, la rama de apio, la rodaja de limón y el vino. Salar.

▶ Cocinar alrededor de 1 hora, hasta que la carne esté muy tierna.

▶ Blanquear las habas dándoles un hervor breve y pasándolas enseguida por agua fría. Rehogarlas en el aceite de oliva, junto con el ajo y el perejil picados. Salpimentar y retirar.

▶ Escurrir la carne y cortarla en tajadas finas. Presentarla con las verduras de la cocción cortadas en cubos y las habas.

ENSALADA DE POROTOS AL LIMÓN

INGREDIENTES

200 gramos de porotos manteca

1 zanahoria

1 cebolla

laurel

tomillo

romero

corteza de 1 limón

sal

pimienta

5 cucharadas de aceite de oliva

1 cucharada de aceto balsámico

perejil

ciboulette

1 diente de ajo

aceite de oliva extra para saltear

20 gramos de almendras peladas y fileteadas

▸ Remojar los porotos en agua fría durante toda la noche.

▸ Al día siguiente escurrirlos y colocarlos en una cacerola con 2 litros de agua. Añadir la zanahoria, la cebolla, el laurel, el tomillo, el romero y la corteza de limón. Cocinar a fuego lento durante 2 horas; salar a mitad de la cocción.

▸ Escurrir los porotos y pasarlos a una ensaladera. Incorporar la corteza de limón que se había usado para la cocción, cortada en juliana. Agregar la pimienta, el aceite de oliva, el aceto balsámico, el perejil y la *ciboulette* picados. Mezclar y dejar reposar durante 30 minutos.

▸ Cortar el ajo en láminas. Dorarlo ligeramente en una sartén antiadherente con un poco de aceite de oliva.

▸ Dorar del mismo modo las almendras peladas y fileteadas.

▸ Espolvorear la ensalada con el ajo y las almendras antes de presentar.

Mamón en almíbar *(pág. 136)*

Chipá *(pág. 117)*

Peceto con sabayón de pimientos (*pág. 54*)

Besugo con limones confitados (*pág. 149*)

Mousse de melón (pág. 205)

LASAÑA DE ZAPALLO

INGREDIENTES

1 zapallo de 2 kilos o 2 calabazas de 1 kilo

1 cebolla

6 tomates

1 cucharada de aceite de oliva

romero

laurel

tomillo

sal

pimienta

1 cucharada de manteca

500 gramos de espinaca

150 gramos de queso *port salut*

1/2 taza de queso parmesano rallado

▶ Pelar el zapallo o las calabazas. Cortar tajadas de 3 mm de espesor. Recortar-las para obtener rectángulos de 12 por 15 cm. Blanquearlos sumergiéndolos durante 2 minutos en agua hirviente con sal. Escurrirlos y reservarlos.

▶ Picar la cebolla. Cortar los tomates en cuartos. Calentar el aceite de oliva en una sartén. Rehogar la cebolla hasta que resulte transparente. Agregar los tomates, las hierbas aromáticas, sal y pimienta. Cocinar durante 20 minutos. Procesar y reservar.

▶ Fundir la manteca en la sartén. Incorporar la espinaca, salpimentar y cocinar de 2 a 3 minutos. Retirar.

▶ Precalentar el horno a 180ºC.

▶ Armar la lasaña en una fuente térmica, alternando los ingredientes por capas en el siguiente orden: rectángulos de zapallo salpimentados, salsa de tomates, tajadas finas de queso *port salut*, rectángulos de zapallo salpimentados, espinaca. Repetir las capas. Terminar con rectángulos de zapallo y espolvorear con parmesano rallado.

▶ Hornear durante 20 minutos.

MILHOJAS DE ANANÁ Y ATÚN

INGREDIENTES

1 ananá

1 lata de atún al natural

ciboulette

6 cucharadas de mayonesa

2 cucharadas de ketchup

tabasco

▶ Pelar cuidadosamente el ananá y cortarlo en 12 rodajas finas.

▶ Escurrir el atún y desmenuzarlo.

▶ Picar finamente la ciboulette.

▶ Combinar la mayonesa con el ketchup y unas gotas de tabasco.

▶ Unir el atún con la ciboulette y la mayonesa enriquecida. Integrar bien todo.

▶ Armar las milhojas directamente en los platos, superponiendo tres rodajas de ananá e intercalando entre ellas la preparación de atún.

▶ Decorar con ciboulette antes de servir.

▶ Acompañar con una ensalada de hojas verdes aderezada con sal, pimienta negra recién molida, jugo de limón y aceite de maíz.

No es imprescindible quedar bien con todo el mundo. Cada persona es diferente. ¡Defienda su manera de pensar y de ser!

PAQUETES DE REPOLLO

INGREDIENTES

300 gramos de ricota descremada

3 huevos

estragón o perejil

30 gramos de nueces

sal

pimienta

6 hojas grandes de repollo

1/2 litro de caldo de verduras

» Mezclar la ricota con los huevos. Perfumar con estragón o perejil. Incorporar las nueces picadas. Condimentar con sal y pimienta. Unir bien y reservar en la heladera.

» Descartar las nervaduras gruesas de las hojas de repollo. Blanquearlas sumergiéndolas durante 2 minutos en agua hirviente salada. Escurrirlas sobre papel absorbente. Cortar cada una en dos.

» Disponer una porción del relleno de ricota en el centro de cada media hoja. Cerrar en forma de paquete y atar con hilo.

» Colocar los paquetes en una cacerola apenas aceitada. Verter el caldo.

» Cocinar a fuego mínimo durante 30 minutos. Servir bien calientes.

Procure no hablar constantemente de comidas. El tema suele despertar anhelos peligrosos.

PASTEL DE BRÓCOLI Y COLIFLOR

INGREDIENTES

250 gramos de pasta corta
sal gruesa
1 atado de brócoli
1 coliflor
2 dientes de ajo
2 cucharadas de aceite de oliva
sal
pimienta
1 taza de queso blanco
1/2 taza de queso parmesano rallado
6 claras
1 cucharada de harina leudante

▶ Hervir la pasta en abundante agua con sal hasta que esté al dente. Escurrirla y reservarla.

▶ Separar en ramilletes el brócoli y la coliflor. Cortar el ajo en láminas.

▶ En una cacerola calentar el aceite de oliva junto con el ajo. Incorporar el brócoli y la coliflor y rehogarlos. Verter 1/2 taza de agua hirviente y cocinar durante sólo 5 minutos, para que los vegetales queden crujientes. Retirar del fuego y salpimentar.

▶ Unir con la pasta cocida, el queso blanco y el parmesano rallado.

▶ Batir las claras a nieve. Incorporarles la harina en forma envolvente. Añadirlas con suavidad a la mezcla anterior.

▶ Colocar la preparación en un molde savarin.

▶ Cocinar durante 35 minutos en horno de temperatura moderada. Retirar y desmoldar.

Peceto con corazón de espinaca

INGREDIENTES

1 peceto chico

200 gramos de espinaca congelada

1 clara

2 cucharadas de pan rallado

sal

pimienta

1 cucharada de romero picado

1/2 vaso de jerez seco

1 taza de caldo de carne

▶ Precalentar el horno a temperatura moderada.

▶ Desgrasar totalmente el peceto. Con un cuchillo de hoja delgada y larga hacer una perforación en el centro, a lo largo, hasta llegar casi al otro extremo.

▶ Lavar la espinaca con agua caliente. Procesarla hasta obtener una pasta. Incorporar la clara y el pan rallado. Sazonar con sal y pimienta.

▶ Rellenar el peceto con la pasta de espinaca. Salpimentarlo y frotarlo con el romero.

▶ Acomodarlo en una asadera y bañarlo con el jerez y el caldo.

▶ Hornear durante 45 minutos; rotar cada tanto para lograr una cocción pareja.

▶ Acompañar con zanahorias al vapor.

Cuando quiera cambiar su cabeza, cambie su peinado.

PIZZA INTEGRAL

INGREDIENTES

MASA
15 gramos de levadura
1 taza de leche
700 gramos de harina integral superfina
1 cucharada de sal
1 cucharada de azúcar morena
1 cucharada de aceite
CUBIERTA
3 tomates
8 corazones de alcauciles al natural
2 cucharadas de alcaparras
200 gramos de *mozzarella*
albahaca

MASA

▸ Disolver la levadura en 2 cucharadas de leche tibia.

▸ Tamizar la harina. Ubicarla en un bol junto con la sal y el azúcar.

▸ Hacer un hoyo en el centro. Colocar allí la levadura, el aceite y el resto de la leche tibia.

▸ Unir los ingredientes centrales con la harina de alrededor.

▸ Amasar durante 10 minutos. Dejar leudar.

▸ Dividir la masa en 2 bollos. Disponer cada uno en el centro de una pizzera aceitada y estirar con los dedos hasta llegar al borde.

CUBIERTA

▸ Cortar los tomates en rodajas y los alcauciles en cuartos. Distribuir ambos ingredientes sobre las pizzas. Repartir también las alcaparras. Cubrir con la *mozzarella* cortada en láminas.

▸ Cocinar durante 20 minutos en el horno bien caliente. Retirar, espolvorear con albahaca picada y servir.

REMOLACHAS PARTICULARES

INGREDIENTES

1 kilo de remolachas

jugo de 1 limón

1/2 pote de yogur natural descremado

1 cucharadita de mostaza

sal

pimienta

2 huevos duros

perejil

▶ Lavar muy bien las remolachas, sin pelarlas. Envolverlas individualmente en papel de aluminio.

▶ Cocinarlas en el horno a 150°C. El tiempo depende del tamaño de las piezas; para probar la cocción, pinchar el centro de cada remolacha con un palito para *brochette* y verificar que estén tiernas.

▶ Desenvolverlas, pelarlas bajo el chorro de la canilla de agua fría y cortarlas en rodajas. Reservarlas.

▶ Mezclar el jugo de limón con el yogur, la mostaza, sal y pimienta, para obtener una salsa.

▶ Sobre una fuente hacer un espejo con la salsa. Acomodar arriba, en forma armoniosa, las rodajas de remolacha. Disponer encima los huevos duros cortados en cuartos. Espolvorear con perejil picado.

SALMÓN MARINADO

INGREDIENTES

1 salmón cortado en porciones

350 cc de vino blanco

2 cucharada de aceite oliva

perejil

laurel

tomillo

2 cebollas de verdeo

2 dientes de ajo

1/2 pimiento verde

1/2 pimiento rojo

1/2 pimiento amarillo

rocío vegetal

▶ Colocar el salmón en un recipiente junto con el vino, el aceite, las hierbas aromáticas, las cebollas de verdeo picadas, el ajo en láminas y los pimientos en cubos pequeños. Tapar con film y marinar durante 3 horas.

▶ Retirar el salmón y secarlo con papel absorbente.

▶ Pasar la marinada a una cacerola. Llevar al fuego hasta reducir, para obtener la salsa.

▶ Mientras tanto, calentar una plancha bifera y humedecerla con rocío vegetal. Cocinar el salmón durante 4 minutos del lado de la piel y 3 minutos más del otro lado.

▶ Servirlo con la salsa y los vegetales de la marinada.

SAVARIN DE ZAPALLITOS LARGOS AL CURRY

INGREDIENTES

8 zapallitos largos

rocío vegetal

1 cucharada de azúcar

3 huevos

150 gramos de queso untable bajas calorías

3 cucharaditas de curry

sal

pimienta

pequeñas hortalizas

(zanahorias *baby*, cebollitas, minichoclos)

aceto balsámico

aceite de oliva

▶ Precalentar el horno a 200ºC.

▶ Lavar los zapallitos y cortarlos a lo largo en láminas de 3 mm de espesor. Cocinarlos al vapor durante 10 minutos.

▶ Humedecer un molde savarin con rocío vegetal y espolvorearlo con el azúcar. Tapizarlo con la mitad de los zapallitos, encimando parcialmente las láminas para que se formen rayas parejas.

▶ Procesar los huevos junto con el queso, el curry, sal y pimienta.

▶ Mezclar el resto de los zapallitos con la mezcla procesada. Colocar la preparación dentro del molde.

▶ Hornear durante 35 minutos.

▶ Blanquear las pequeñas hortalizas y condimentarlas con sal, aceto balsámico y aceite de oliva.

▶ Desmoldar el savarin, colocar las pequeñas hortalizas en el hueco central y presentar.

TERRINA DE CORDERO Y ZAPALLITOS

INGREDIENTES

1 kilo de cordero sin hueso

1 cucharada de aceite de oliva

50 gramos de aceitunas negras descarozadas

1 diente de ajo

perejil

sal

pimienta

4 zapallitos

2 sobres de gelatina sin sabor

1 sobre de caldo de verduras

‣ Desgrasar el cordero y cortarlo en trozos de 2 cm. Dorarlo rápidamente, a fuego fuerte, en una cacerola con el aceite de oliva.

‣ Agregar las aceitunas cortadas en rodajas, el ajo y el perejil picados, sal y pimienta, Tapar y cocinar a fuego mínimo durante 10 minutos. Retirar y reservar.

‣ Lavar bien los zapallitos. Cortarles los extremos. Dejar 2 enteros y cocinarlos al vapor durante 20 minutos. Cortar los otros en rodajas; cocinarlos al vapor hasta tiernizarlos ligeramente.

‣ Hidratar la gelatina con agua fría. Añadirle el caldo disuelto en 50 cc de agua hirviente. Mezclar bien

‣ Forrar con film un molde para terrina. Tapizar el fondo y los costados con las rodajas de zapallitos.

‣ Colocar 1/3 de la preparación de cordero. Acomodar en el centro los zapallitos enteros. Completar con el resto del cordero. Verter despacio el caldo con gelatina. Llevar a la heladera durante 24 horas.

‣ Pasar el fondo de la budinera por agua caliente antes de desmoldar.

TORTILLA SALUDABLE

INGREDIENTES

1 taza de arvejas congeladas
1 taza de choclo en granos congelado
1 taza de brócoli congelado
4 dientes de ajo picados
rocío vegetal
nuez moscada
romero
200 gramos de queso *port salut*
6 claras
sal
pimienta

▶ Ubicar los vegetales congelados dentro de un colador, verter sobre ellos agua hirviente y escurrirlos muy bien.

▶ Picar el ajo y saltearlo en una sartén antiadherente humedecida con rocío vegetal. Añadir los vegetales y cocinar durante 5 minutos, revolviendo cada tanto. Retirar y condimentar con nuez moscada y romero.

▶ Cortar el queso en dados pequeños.

▶ Batir ligeramente las claras y salpimentarlas.

▶ Unir los vegetales con el queso y las claras.

▶ Colocar la preparación en una fuente térmica humedecida con rocío vegetal. Cocinar en horno de temperatura moderada durante 30 minutos, sin dar vuelta la tortilla. Retirar y servir.

TRUCHAS EN PAPILLOTE

INGREDIENTES

2 zanahorias

2 puerros

250 gramos de champiñones

250 cc de caldo de verduras

1 vaso de champaña

8 truchas sin espinas

10 gramos de margarina

2 cucharadas de salsa de soja

eneldo

sal

pimienta

1 cucharadita de nuez moscada rallada

» Precalentar el horno a 160ºC.

» Cortar en juliana las zanahorias y los puerros. Filetear los champiñones.

» Calentar el caldo en una sartén. Incorporar las zanahorias y los puerros. Cuando comiencen a ablandarse, agregar los champiñones y el champaña. Cocinar durante 10 minutos, revolviendo de vez en cuando.

» Acomodar cada trucha sobre un cuadrado de papel de aluminio de 40 cm de lado, untado con margarina. Condimentar con salsa de soja y eneldo. Distribuir encima la preparación de vegetales. Sazonar con sal, pimienta y nuez moscada.

» Cerrar los *papillotes* como sobres. Apoyarlos sobre una placa.

» Cocinar en el horno durante 25 minutos. Retirar y servir los *papillotes* cerrados.

ANANÁ GRILLÉ

INGREDIENTES

1 lata de ananá diet

1 cucharada de miel

1 cucharada de ron

1 cucharada de almidón de maíz

▸ Escurrir el ananá y reservar el jugo.

▸ Colocar una rejilla sobre una placa. Acomodar las rodajas de ananá sobre la rejilla. Pincelarlas con la miel.

▸ Dorarlas en el grill del horno durante 5 minutos de cada lado.

▸ Mientras tanto medir 1 taza del jugo que se había reservado. Perfumarlo con el ron.

▸ Colocar el almidón en una cacerolita. Disolverlo con la mezcla de jugo y ron.

▸ Hervir a fuego lento durante 5 minutos, para obtener una salsa.

▸ Repartir en los platos el ananá grillado y salsearlo.

▸ Para lograr un atractivo contraste de temperaturas se puede acompañar con una bocha pequeña de helado *diet*.

No se olvide de hacer una breve pausa entre bocado y bocado. Es ideal masticar cada uno diez veces como mínimo antes de tragar.

ASPIC DE ANANÁ

INGREDIENTES

1 paquete de gelatina *diet* de ananá

1/2 kilo de duraznos

1/2 kilo de frutillas

2 bananas

jugo de 1 limón

▸ Preparar la gelatina de acuerdo con las indicaciones del paquete. Reservar.

▸ Pelar los duraznos y cortarlos en cubos de 1 cm de lado.

▸ Lavar las frutillas y cortarlas en cuartos.

▸ Pelar las bananas, cortarlas en rodajas y rociarlas con el jugo del limón.

▸ Humedecer con agua un molde para terrina y tapizarlo con film.

▸ Verter dentro del molde 1 taza de gelatina. Llevar a la heladera durante 20 minutos.

▸ Colocar las frutas y verter otra taza de gelatina. Refrigerar nuevamente durante 30 minutos.

▸ Completar con el resto de la gelatina. Volver al frío por lo menos 3 horas. Desmoldar, cortar en tajadas y servir.

La banana es una de las pocas frutas que contienen un alto nivel de potasio. Y dos bananas chicas proveen la misma cantidad de fibra que un panecillo de harina de trigo integral.

DURAZNOS Y CIRUELAS AL VINO

INGREDIENTES

3 duraznos

3 ciruelas

100 gramos de azúcar

160 cc de vino chardonnay

6 cucharadas de queso untable bajas calorías

esencia de vainilla o canela molida

» Pelar los duraznos y las ciruelas. Partirlos por la mitad y quitar los carozos.

» Colocar en una cacerola el azúcar y el vino.

» Llevar al fuego y hervir durante 5 minutos.

» Incorporar las frutas. Cocinar durante 15 minutos.

» Retirar las frutas con espumadera. Reservarlas en un recipiente.

» Continuar la cocción del almíbar hasta que se reduzca y tome punto hilo. Retirar y dejar enfriar.

» Bañar las frutas con el almíbar. Enfriar muy bien en la heladera.

» Distribuir en copas, coronar con queso untable perfumado con vainilla o canela y servir.

No mire televisión mientras come. Ciertas distracciones impiden tomar conciencia de las ventajas y desventajas de cada alimento.

ESPUMA DE LIMÓN

INGREDIENTES

100 gramos de azúcar
jugo y ralladura de 2 limones
3 cucharadas de agua
6 yemas
6 claras

▸ Colocar en un bol el azúcar, el jugo y la ralladura de los limones, el agua y las yemas.

▸ Mezclar con cuchara de madera para integrar todo.

▸ Llevar sobre baño de María y revolver hasta que espese.

▸ Retirar y dejar enfriar por completo.

▸ Batir las claras a nieve e incorporarlas.

▸ Distribuir la preparación en copas.

▸ Llevar a la heladera por lo menos 4 horas.

▸ Adornar con rulos de corteza de limones verdes y amarillos.

No se sirva galletitas directamente de la lata. Si coloca en un plato la cantidad permitida, el riesgo de pasar el límite será menor.

FRESCURA DE FRAMBUESAS

INGREDIENTES

500 gramos de queso blanco

300 gramos de frambuesas al natural

1 paquete chico de gelatina de frambuesas *diet*

2 claras

1 cucharada de miel

ralladura de 1 naranja

▸ Batir el queso dentro de un bol grande, para darle una textura aireada.

▸ Escurrir las frambuesas y reservar el líquido.

▸ Hacer un puré con las frambuesas y mezclarlo con el queso.

▸ Hervir el líquido de las frambuesas y disolver en él la gelatina. Dejar enfriar y unir con la preparación anterior.

▸ Batir las claras a nieve. Seguir batiendo mientras se incorpora en forma de hilo la miel entibiada.

▸ Añadir las claras y la ralladura de naranja a la mezcla de frambuesas.

▸ Volcar en un molde redondo.

▸ Refrigerar hasta que tome cuerpo. Desmoldar y, si se desea, adornar con frutas frescas.

Nunca deje de soñar

MAGDALENAS DE ZANAHORIAS Y ANANÁ

INGREDIENTES

100 gramos de azúcar

100 gramos de manteca

1 huevo

150 gramos de harina leudante

canela molida

200 gramos de zanahorias

100 gramos de nueces

100 gramos de ananá al natural

▸ Mezclar el azúcar con la manteca blanda.

▸ Añadir el huevo e integrarlo.

▸ Incorporar la harina y la canela.

▸ Agregar las zanahorias ralladas, las nueces picadas y el ananá cortado en trozos pequeños. Unir bien.

▸ Distribuir la preparación en moldes para magdalenas.

▸ Hornear durante 5 minutos a 180ºC.

¡Qué grato resulta aprovechar una tarde de lluvia para probar una rica receta! Total, mañana será otro día.

MOUSSE DE DURAZNOS

INGREDIENTES

1 lata de duraznos *diet*

1 pote de yogur descremado de vainilla

1 pote chico de queso untable bajas calorías

2 claras

▸ Escurrir los duraznos. Procesarlos hasta obtener un puré suave y cremoso. Pasarlo a un bol.

▸ Incorporar el yogur y el queso. Batir hasta lograr una crema homogénea.

▸ Batir las claras a nieve y añadirlas con movimiento envolventes.

▸ Distribuir la preparación en copas.

▸ Llevar a la heladera hasta el momento de servir.

▸ Si se desea, adornar con tajadas finas de frutas frescas de distintos colores (kiwis, naranjas, ciruelas).

El yogur es la mejor fuente de calcio para los mayores de 20 años.

MOUSSE DE FRUTILLAS TATI

INGREDIENTES

350 gramos de frutillas

2 cucharadas de azúcar impalpable

350 gramos de ricota descremada

1 pote de yogur natural descremado

2 cucharadas de azúcar rubia

2 cucharaditas de esencia de vainilla

1 cucharada de jugo de limón

▸ Lavar muy bien las frutillas, escurrirlas y quitarles los cabitos.

▸ Procesarlas hasta obtener un puré. Pasarlo por tamiz. Añadirle el azúcar impalpable y mezclar muy bien.

▸ Colocar en la procesadora la ricota, el yogur, el azúcar rubia, la vainilla y el jugo de limón. Procesar hasta lograr una textura liviana y homogénea.

▸ Disponer en copas ambas preparaciones, en forma alternada y girando las copas a medida que se llenan, para lograr un aspecto marmolado.

▸ Enfriar en la heladera por lo menos 2 horas antes de servir.

Convierta cada deseo en una meta y cada meta en una realidad.

MOUSSE DE MELÓN

INGREDIENTES

3 yemas

600 gramos de miel

200 gramos de pulpa de melón

1/2 vaso de vino torrontés

300 gramos de queso blanco

COULIS

1 vaso de frutas rojas a elección

(frutillas, moras, frambuesas)

1/2 vaso de jugo de naranja

2 cucharadas de azúcar

▶ Batir las yemas en un bol amplio. Incorporar la miel hirviente y seguir batiendo hasta blanquear.

▶ Elegir un melón maduro y perfumado. Partirlo por el medio, quitarle las semillas y ahuecarlo. Si se desea, reservar las mitades de cáscara para presentar la *mousse*. Pesar la cantidad indicada de pulpa y procesarla junto con el vino.

▶ Unir la preparación de yemas con el melón procesado. Agregar el queso blanco y mezclar delicadamente.

▶ Colocar la *mousse* dentro de la cáscara del melón, con el borde tallado en forma de ondas, o repartirla en copas. Llevar a heladera hasta el momento de servir.

▶ Acompañar con *coulis* de frutas rojas.

COULIS

▶ Licuar las frutas junto con el jugo de naranja y el azúcar. Pasar por tamiz y utilizar.

POSTRE SIN CULPAS

INGREDIENTES

250 gramos de frutillas
250 gramos de duraznos
2 kiwis
4 cucharadas de miel
1 taza de jugo de naranja
2 sobres de gelatina sin sabor
2 potes de yogur descremado
de frutilla o de durazno

▶ Lavar muy bien las frutillas; quitarles los cabitos. Pelar los duraznos, partirlos por el medio y descartar los carozos. Pelar los kiwis y cortarlos en rodajas.

▶ Filetear 4 frutillas. Reservarlas para decorar, junto con los kiwis.

▶ Colocar en la licuadora el resto de las frutillas, los duraznos, 2 cucharadas de miel y el jugo de naranja. Agregar la gelatina hidratada en un poco de agua y entibiada. Licuar hasta homogeneizar.

▶ Pasar el licuado a un bol. Llevar a la heladera hasta que la gelatina comience a solidificar.

▶ Retirar, agregar el yogur y batir para integrar y airear.

▶ Humedecer un molde con agua y forrarlo con film. Verter la preparación y volver a la heladera hasta que solidifique.

▶ Desmoldar y decorar con las frutillas fileteadas y las rodajas de kiwis. Rociar con la miel restante.

ÍNDICE DE RECETAS POR CAPÍTULO

▶ LA FUERZA DEL CARIÑO
SALADO
DULCE

ÍNDICE DE RECETAS POR TIPO DE PREPARACIÓN

▶ POLLO

▶ PESCADOS Y MARISCOS

▶ VERDURAS

¡Gracias por compartir este libro con nosotras!